Der Infis Feng Shui Kalend
2021: Das Jahr des Büffels

André Pasteur studierte in Zürich Pharmazie. Durch seine intensive Beschäftigung mit gesundheitlichen Themen wurde ihm immer mehr bewusst, wie wichtig das Umfeld für Körper und Geist ist. Mitte der 80er Jahre kam er durch den taoistischen Meister Mantak Chia in Kontakt mit Feng Shui. Seither hat ihn diese faszinierende Kunst der harmonischen Gestaltung von Räumen und Häusern nie mehr losgelassen. Er gründete 1996 Infis, das Institut für Feng Shui und chinesische Astrologie. Seit dieser Zeit arbeitet er selbständig als Feng Shui Lehrer und Berater. Seine Studien bei mehreren asiatischen Meistern haben ihn zu einem der führenden Experten im deutschsprachigen Raum gemacht. Seine wichtigsten Lehrer sind Raymond Lo, Victor Dy, Lily Chung, Yap Cheng Hai und Joey Yap.
Mehr Informationen zu Infis Feng Shui finden Sie unter www.infis.com.

Bibliografische Information der Deutschen Nationalbibliothek:
Die Deutsche Nationalbibliothek verzeichnet diese Publikation
in der Deutschen Nationalbibliografie; detaillierte bibliografische
Daten sind im Internet über http://dnb.dnb.de abrufbar.

© 2020 André Pasteur

Herstellung und Verlag:
BoD - Books on Demand, Norderstedt

ISBN: 978-3-7519-7948-1

Vorwort

Nutzen Sie die Rhythmen der kosmischen Energien! Würden Sie ein Picknick veranstalten, wenn im Wetterbericht Sturm und Regen angesagt sind? Wahrscheinlich nicht. Genauso sollten Sie wichtige Termine nicht auf Zeiten legen, in denen die himmlischen Energien ungünstig sind. Warten Sie auf gutes Wetter. Wenn die kosmischen Einflüsse harmonisch sind, gelingen alle Unternehmungen viel leichter.

Der Infis Feng Shui Kalender enthält die zwei in Asien gebräuchlichen grossen Systeme der Qualifizierung von Zeit:

1 Klassisches Zé Rì: Das Berechnen von günstigen Zeitpunkten mit Hilfe der klassischen Methoden, insbesondere nach den Methoden des Xié Jì Biàn Fāng Shū und Dǒng Gōng Zé Rì Yào Lǎn.

2 Xuán Kōng Dà Guà Zé Rì: Das Berechnen von günstigen Zeitpunkten mit Hilfe der Hexagramme des Yi Jing.

Beide Methoden sind in Asien weit verbreitet und werden von allen bedeutenden Feng Shui Meistern intensiv genutzt. Wichtige Feng Shui Massnahmen und persönliche Termine sollten, wenn immer möglich, mit einer dieser Methoden zeitlich geplant werden.

Die Wirkung von Feng Shui Massnahmen beruht auf drei Energieebenen:

1. Die **Erdenergie**: Dies ist der Ort der Korrektur und das dafür gewählte Objekt.
2. Die **Menschenenergie**: Dies ist die Arbeit des Menschen, der diese Massnahmen plant und ausführt.
3. Die **Himmelsenergie**: Dies ist die Qualität der Zeit im Moment des Setzens der Feng Shui Massnahme oder einer wichtigen Handlung.

Wenn alle drei Energieebenen miteinander verbunden werden, entsteht ein Energiefeld, das die Matrix der Umgebung prägt.
Idealerweise gehört zur Menschenenergie auch ein kleines Ritual, mit dem das Objekt energetisch aufgeladen wird. Dieser Aspekt wird im Westen kaum beachtet, gehört aber eigentlich zu jeder Feng Shui Massnahme unbedingt dazu. Sie finden eine ausführliche Anleitung in folgendem Buch: André Pasteur: Feng Shui - Das Umfeld als Resonanzkörper der Seele.

Das Planen von günstigen Zeitpunkten kann für zwei verschiedene Zwecke durchgeführt werden:

Günstige Zeitpunkte für persönliche Termine: Hier geht es um die Berechnung von Terminen für wichtige Angelegenheiten.
Wann unterschreiben Sie einen Vertrag, wann beginnen Sie eine Reise, wann heiraten Sie, wann führen Sie Werbeaktionen durch, usw.
Diese Berechnungen hängen nicht vom Ort ab. Der Termin wird nur für die Person berechnet.

Günstige Zeitpunkte für Feng Shui Massnahmen: Diese Berechnungen beziehen sowohl den Menschen als auch das Haus mit ein. Der gesuchte Zeitpunkt muss sowohl für die Person als auch für das Haus günstig sein.

Ausführliche Erklärungen mit Beispielen zu den in diesem Kalender enthaltenen Informationen zum klassischen Ze Ri finden Sie in folgendem Buch:
André Pasteur: Feng Shui - Das Umfeld als Resonanzkörper der Seele.

Ausführliche Erklärungen mit Beispielen zu den in diesem Kalender enthaltenen Informationen für Xuan Kong Da Gua Ze Ri finden Sie in folgendem Buch:
André Pasteur: Feng Shui für Fortgeschrittene, Band 4: Xuan Kong Da Gua Teil 1.

Die Angaben im Kalender

In diesem Kalender finden Sie für das Jahr, jeden Monat und jeden Tag des Jahres ausführliche Informationen:

1. Den Jahresbeginn und alle Monatsanfänge minutengenau in MEZ.

2. Den Atemzug für jeden Monat minutengenau in MEZ. Diese Angaben benötigen Sie z.B. für die grosse Sonnenformel.

3. Für das Jahr und den Monat finden Sie die Nummer des Binoms, den offenen himmlischen Stamm, den Erdzweig, das Na Yin Element und alle Angaben zum Xuan Kong Da Gua Ze Ri (Hexagramm, Familie, Gruppe, Raub). Zudem sind jeweils der Jahres- und der Monatsstern angegeben.

4. Zu den einzelnen Tagen finden Sie die Nummer des Binoms, den offenen himmlischen Stamm, den Erdzweig, das Na Yin Element, die Angaben zum Xuan Kong Da Gua Ze Ri (Hexagramm, Familie, Gruppe, Raub). Ebenfalls ist der Tagesstern für jeden Tag angegeben. Für das klassische Ze Ri finden Sie den Tagesregenten, die Wertigkeit nach Dong Gong, die Qualitäten von Sonne und Mond sowie das Mondhaus.

5. Jeder Tag, der eine Störung aufweist und damit für wichtige Termine eher nicht in Frage kommt, ist im Kalender fett gedruckt. Auch wenn Sie keine tieferen Kenntnisse des Ze Ri besitzen, können Sie einfach alle Tage, die fett gedruckt sind, weglassen. Die Störungen sind jeweils mit folgenden Abkürzungen vermerkt: **OJ** = Opposition des Jahres (Sui Po), **SJ** = San Sha des Jahres, **FJ** = Fu Yin des Jahres, **OM** = Opposition des Monats (Yue Po), **SM** = San Sha des Monats, **FM** = Fu Yin des Monats, **WL** = Wu Lu Tage, **EL** = Energieleere, **SL** = Sonnenlehre, **SF** = Sonnenfinsternis, **MF** = Mondfinsternis.

Das Binom und das Hexagramm der Stunde

Die Stunden sind im Kalender nicht angegeben. Diese müssen Sie selber berechnen. In den im Vorwort erwähnten Büchern finden Sie alle notwendigen Informationen mit Beispielen dazu.

Korrigierte Stunde	Himmlischer Stamm des Tages									
	1 Holz 6 Erde		2 Holz 7 Metall		3 Feuer 8 Metall		4 Feuer 9 Wasser		5 Erde 10 Wasser	
00:00 - 00:59	1H Ra 1 *	$\frac{1}{1}$ $\frac{1}{8}$	3 F Ra 13	$\frac{6}{3}$	5 E Ra 25	$\frac{7}{4}$	7 M Ra 37	$\frac{2}{9}$	9 W Ra 49	$\frac{8}{1}$
01:00 - 02:59	2 H Bü 2	$\frac{3}{6}$	4 F Bü 14	$\frac{4}{7}$	6 E Bü 26	$\frac{9}{2}$	8 M Bü 38	$\frac{1}{3}$	10 W Bü 50	$\frac{6}{8}$
03:00 - 04:59	3 F Ti 3	$\frac{2}{4}$	5 E Ti 15	$\frac{8}{6}$	7 M Ti 27 *	$\frac{3}{1}$ $\frac{4}{2}$	9 W Ti 39	$\frac{9}{7}$	1 H Ti 51	$\frac{7}{9}$
05:00 - 06:59	4 F Hs 4	$\frac{6}{9}$	6 E Hs 16	$\frac{7}{8}$	8 M Hs 28	$\frac{2}{3}$	10 W Hs 40	$\frac{8}{7}$	2 H Hs 52	$\frac{1}{9}$
07:00 - 08:59	5 E Dr 5	$\frac{9}{6}$	7 M Dr 17	$\frac{1}{9}$	9 W Dr 29	$\frac{6}{4}$	1 H Dr 41	$\frac{3}{2}$	3 F Dr 53	$\frac{4}{1}$
09:00 - 10:59	6 E Sl 6	$\frac{8}{2}$	8 M Sl 18	$\frac{3}{7}$	10 W Sl 30	$\frac{4}{6}$	2 H Sl 42	$\frac{7}{3}$	4 F Sl 54	$\frac{2}{8}$

Korrigierte Stunde	1 Holz 6 Erde		2 Holz 7 Metall		3 Feuer 8 Metall		4 Feuer 9 Wasser		5 Erde 10 Wasser	
					Himmlischer Stamm des Tages					
11:00 - 12:59	7 M Pf 7	$\frac{8}{9}$	9 W Pf 19	$\frac{2}{1}$	1 H Pf 31 *	$\frac{9}{1}$ $\frac{9}{8}$	3 F Pf 43	$\frac{4}{3}$	5 E Pf 55	$\frac{3}{4}$
13:00 - 14:59	8 M Sf 8	$\frac{9}{3}$	10 W Sf 20	$\frac{4}{8}$	2 H Sf 32	$\frac{7}{6}$	4 F Sf 44	$\frac{6}{7}$	6 E Sf 56	$\frac{1}{2}$
15:00 - 16:59	9 W Af 9	$\frac{1}{7}$	1 H Af 21	$\frac{3}{9}$	3 F Af 33	$\frac{8}{4}$	5 E Af 45	$\frac{2}{6}$	7 M Af 57 *	$\frac{7}{1}$ $\frac{6}{2}$
17:00 - 18:59	10 W Hh 10	$\frac{2}{7}$	2 H Hh 22	$\frac{9}{4}$	4 F Hh 34	$\frac{4}{9}$	6 E Hh 46	$\frac{3}{8}$	8 M Hh 58	$\frac{8}{3}$
19:00 - 20:59	1 H Hu 11	$\frac{7}{2}$	3 F Hu 23	$\frac{6}{1}$	5 E Hu 35	$\frac{1}{6}$	7 M Hu 47	$\frac{9}{9}$	9 W Hu 59	$\frac{4}{4}$
21:00 - 22:59	2 H Sw 12	$\frac{3}{3}$	4 F Sw 24	$\frac{8}{8}$	6 E Sw 36	$\frac{2}{2}$	8 M Sw 48	$\frac{7}{7}$	10 W Sw 60	$\frac{6}{6}$
23:00 - 23:59	3 F Ra 13	$\frac{6}{3}$	5 E Ra 25	$\frac{7}{4}$	7 M Ra 37	$\frac{2}{9}$	9 W Ra 49	$\frac{8}{1}$	1 H Ra 1 *	$\frac{1}{1}$ $\frac{1}{8}$

Die Abkürzungen der himmlischen Stämme sind wie folgt:
1 H = yang Holz, 2 H = yin Holz, 3 F = yang Feuer, 4 F = yin Feuer, 5 E = yang Erde, 6 E = yin Erde, 7 M = yang Metall, 8 M = yin Metall, 9 W = yang Wasser, 10 W = yin Wasser.

Die Abkürzungen der Tiere sind wie folgt:
Ra = Ratte, Bü = Büffel, Ti = Tiger, Hs = Hase, Dr = Drache, Sl = Schlange, Pf = Pferd, Sf = Schaf, Af = Affe, Hh = Hahn, Hu = Hund, Sw = Schwein.

Eigentlich müsste die Stunde jeweils korrigiert werden, da die Angaben auf der Lokalzeit beruhen, also dem effektiven Sonnenstand entsprechen. Da es sich jeweils um eine Zeit von zwei Stunden handelt, können Sie immer die Mitte der Zeitspanne angeben. So können Sie auf die Zeitkorrektur verzichten. Dies ist korrekt für fast alle Länder Europas (ausgenommen ist der Westen Spaniens). Weltweit ist nur China eine Ausnahme, da dort überall die Peking-Zeit gilt, was zu grossen Zeitabweichungen führt.

Ein Beispiel: Sie möchten eine Feng Shui Korrektur in der Hunde-Stunde durchführen. Das ist die Zeitspanne zwischen 19:00 und 20:59 Uhr. Nehmen Sie die Mitte, also 20:00 Uhr. Führen Sie Ihre Korrektur dann durch. So haben Sie eine Pufferzone von +/- einer Stunde, was in den meisten Fällen ausreicht. Denken Sie daran, dass Sie in der Sommerzeit eine Stunde addieren. Sie würden dann die Korrektur um 21:00 Uhr durchführen, was in Winterzeit 20:00 Uhr entspricht.

* Manchen Binomen sind zwei Hexagramme zugeordnet. Es können beide verwendet werden.

Die Stundensterne für Xuan Kong Fei Xing und Zi Bai Jue

	Stunde	Tageszweig Ratte, Pferd, Hase, Hahn		Tageszweig Drache, Hund, Büffel, Schaf		Tageszweig Tiger, Schwein, Affe, Schlange	
		Yang Hälfte	Yin Hälfte	Yang Hälfte	Yin Hälfte	Yang Hälfte	Yin Hälfte
00:00 - 00:59 h	Ra	1	9	4	6	7	3
01:00 - 02:59 h	Bü	2	8	5	5	8	2
03:00 - 04:59 h	Ti	3	7	6	4	9	1
05:00 - 06:59 h	Hs	4	6	7	3	1	9
07:00 - 08:59 h	Dr	5	5	8	2	2	8
09:00 - 10:59 h	Sl	6	4	9	1	3	7
11:00 - 12:59 h	Pf	7	3	1	9	4	6
13:00 - 14:59 h	Sf	8	2	2	8	5	5
15:00 - 16:59 h	Af	9	1	3	7	6	4
17:00 - 18:59 h	Hh	1	9	4	6	7	3
19:00 - 20:59 h	Hu	2	8	5	5	8	2
21:00 - 22:59 h	Sw	3	7	6	4	9	1
23:00 - 23:59 h	Ra	4	6	7	3	1	9

Der Stern der Stunde ist abhängig vom Erdzweig des Tages, der in der Kopfzeile erwähnt ist. In der ersten Spalte finden Sie die einzelnen Stunden.

Die Stundensterne sind abhängig vom Weg der Erde um die Sonne. In der Phase vom Perihel zum Aphel (Dezember bis Juni) dehnt sich das Erdmagnetfeld aus. Dies nennen wir die Yang Hälfte. In der Phase vom Aphel zum Perihel (Juni bis Dezember) kontrahiert das Erdmagnetfeld. Dies nennen wir die Yin Hälfte.

In der Yang Hälfte steigen die Sterne von Stunde zu Stunde, in der Yin Hälfte sinken sie. Der exakte Übergang befindet sich an den Sonnenwenden am 21. Juni und am 21. Dezember. Diese sind in der Monatsübersicht beim Atemzug vermerkt.

Übersicht der Zeitsterne

3	8	1	8	4	6	1	6	8
2	**4**	6	7	**9**	2	9	**2**	4
7	9	5	3	5	1	5	7	3
2	7	9	4	9	2	6	2	4
1	**3**	5	3	**5**	7	5	**7**	9
6	8	4	8	1	6	1	3	8
7	3	5	9	5	7	5	1	3
6	**8**	1	8	**1**	3	4	**6**	8
2	4	9	4	6	2	9	2	7

Diese Tabelle eignet sich dazu, die Lage von Sternen schnell erkennen zu können. Wenn eine Feng Shui Korrektur im Süden durchgeführt werden soll, dann sehen wir in dieser Tabelle, dass an Tagen oder Stunden mit Stern 4 der günstige Stern 8 im Süden steht.
An Tagen oder Stunden mit Stern 6 steht der günstige Stern 1 im Süden, usw.

Bitte beachten, dass für Feng Shui Massnahmen Tage oder Stunden mit Stern 5 nie verwendet werden.

Das Jahr 2021 im Überblick

Jahr 2021	Binom	OHS	EZ	Stern	64 Hexagramme
3.2.2021, 15:59 Uhr	38	8 Metall	Büffel	6	36 Die Verfinsterung des Lichts
Sonnenfinsternis SF	10.6.				
Mondfinsternis MF	19.11.				

Das Hexagramm des Jahres 2021: Hexagramm 36: Die Verfinsterung des Lichts

Trotz des etwas düsteren Namens des Hexagramms kann man dieses Jahr dennoch Erfolg haben. Das Wichtigste ist hier, sich nicht in den Vordergrund zu stellen. Jetzt ist nicht die Zeit, die Aufmerksamkeit ganz auf sich zu lenken. Vertrauen Sie auf die weise Führung des Himmels. Verurteilen Sie weder die Umstände noch die anderen Menschen. Im Innern scheint Ihr Licht, lassen Sie sich davon leiten.

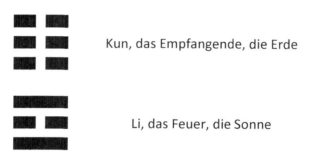

Kun, das Empfangende, die Erde

Li, das Feuer, die Sonne

Die symbolischen Sterne des Jahres

SE2: Xun Professor+	**SE3: Schlange** **Geist-** Erdoffizier-	**S1: 3 Feuer** Tugend 1+ Himmelsleere-	**S2: Pferd** Tugend 3+ Yin-Engel+ **Ende-** Erd-Sha-	**S3: 4 Feuer**	**SW1: Schaf** **Sui Po-** Seidenoffizier- Leopard- Erd-Sha-	**SW2: Kun** Seidenraum-
SE1: Drache **Mond+** **Sui Sha-**						**SW3: Affe** **Drache+** Himmelsoffizier- Seidenschicksal-
E3: 2 Holz Sitting Sha-		5	1	3		**W1: 7 Metall** Facing Sha-
E2: Hase **Unglück-** **Zai Sha-** Feuer- 5 Geister 1- Metall-Sha-		4	6	8		**W2: Hahn** Wohlstand+ **Tiger-** Grosses Sha- General- Reinheit-
E1: 1 Holz Sitting Sha-		9	2	7		**W3: 8 Metall** Tugend 2+ Facing Sha-
NE3: Tiger **Sonne+** Yang-Engel+ **Jie Sha-** Metall-Sha-						**NW1: Hund** **Glück+** Dissonanz- Hauptstadt 1-
NE2: Gen Gegner- Himmelsleere-	**NE1: Büffel** **Tai Sui-** Flagge- Metall-Sha-	**N3: 10 Wasser**	**N2: Ratte** **Krank-** Metall-Sha-	**N1: 9 Wasser**	**NW3: Schwein** Reisen+ **Hund-** Gast- Hauptstadt 2-	**NW2: Qian** Beschluss+ 5 Geister 2-

Die positiven symbolischen Sterne sind mit + markiert, die negativen mit -. Die besonders wichtigen Sterne sind fett gedruckt. Der Tai Sui erscheint bei den negativen Sternen, weil er einen Bereich markiert, der nicht renoviert werden darf. Wenn er ruhig gehalten wird, ist er günstig.

Die symbolischen Sterne werden eingesetzt, um Feng Shui Massnahmen möglichst günstig zu setzen.

Aktivierung von Stern 1:
Im Süden finden wir die besten symbolischen Sterne in S1 oder S2. Falls der Stern 1 mit einem Brunnen oder einem anderen Yang-Element verstärkt werden soll, eignen sich diese Bereiche am besten. Da in S2 der starke, negative Stern «Ende» sitzt, ist S1 etwas besser.

Ableitung von Stern 2:
Falls der Stern 2 stört, wird er am besten in N1 oder N3 abgeleitet. Hier finden wir keine symbolischen Sterne, während in N2 nur negative Sterne sitzen.

Ableitung von Stern 3:
Falls Stern 3 stört, setzen wir die Korrektur in SW3, der den sehr guten, günstigen Stern «Drache» aufweist.

Ableitung von Stern 4:
Falls der Stern 4 stört, sollte er in E1 oder E3 abgeleitet werden. E2 ist sehr ungünstig und sollte möglichst ruhig gehalten werden.

Ableitung von Stern 5:
Falls der Stern 5 stört, sollte er in SE1 oder SE2 abgeleitet werden. In SE1 sitzt der sehr günstige Stern «Mond», so dass dieser Bereich noch besser ist als SE2.

Ableitung von Stern 6:
Falls der Stern 6 stört, kann die Ableitung im Tai Ji erfolgen.

Ableitung von Stern 7:
Falls der Stern 7 stört, kann die Ableitung in NW1 oder NW2 gesetzt werden.

Aktivierung von Stern 8:
Eine Aktivierung von Stern 8 passt am besten in W3.

Aktivierung von Stern 9:
Eine Aktivierung von Stern 9 passt am besten in NE3.

`

Klassisches Ze Ri

Die Wertigkeit nach Master Dong

Die Wertigkeit zeigt die grundsätzliche Qualität des Tages. Der erste Schritt zur Beurteilung eines Tages besteht darin, festzulegen, ob er von einer Störung betroffen ist. Das ist leicht zu erkennen, weil alle Tage mit Störungen im Infis Feng Shui Kalender fett gedruckt sind. Wenn der Tag nicht fett gedruckt ist, kommt er grundsätzlich in Frage. Das nächste Kriterium ist die Wertigkeit nach Master Dong. Dieser grosse Meister des Ze Ri hat alle Tage bewertet. Dabei hat er sehr strenge Kriterien verwendet, was Sie daran erkennen können, dass viele Tage als ungünstig oder sehr ungünstig bezeichnet werden. Wenn der Tag die Wertigkeit sehr günstig, günstig oder genügend aufweist, ist das bereits ein sehr gutes Qualitätsmerkmal. Vielleicht fällt Ihnen auf, dass auch viele fett gedruckte Tage eine günstige Wertigkeit haben. Das liegt daran, dass Master Dongs System fixiert ist, das heisst, die Tage werden jedes Jahr immer genau gleich bewertet. Die Störungen sind jedoch dynamisch, diese liegen jedes Jahr anders. Diese dynamischen Störungen werden in der Bewertung nach Master Dong nicht berücksichtigt. So kann es sein, dass ein Tag grundsätzlich günstig oder gar sehr günstig ist, aber in einem bestimmten Jahr von einer Störung betroffen ist. Nun gehört der Tag in diesem Jahr nicht mehr zu den besonders guten.

Die 12 Tagesregenten

Die Tagesregenten zeigen die besten Tätigkeiten für einen bestimmten Tag. Sie werden von der Interaktion des Erdzweiges des Monats mit dem Erdzweig des Tages abgeleitet und bilden das dritte Kriterium zur Wahl günstiger Termine.

1 Jiàn Beginn

Gut für alle Anfänge wie eine neue Stelle antreten, ein neues Geschäft eröffnen. Gut für den Beginn von neuen Geschäftsaktionen oder das Umsetzen von neuen Ideen. Ebenfalls günstig ist dieser Tag für Verlobungen, oder dafür, jemanden zu bitten, zu heiraten. Günstig für den Beginn von Therapien, Ausbildungen, Reisen. Man kann an diesem Tag Renovationsarbeiten beginnen, aber er ist nicht günstig für den Beginn des Aushubs.
Der Tag eignet sich nicht für alle Arten von Abbruch oder für Beerdigungen. Hochzeiten sind an diesem Tage nicht günstig.

2 Chú Entfernen

Hier sind Reinigungsaktionen sehr günstig. An diesem Tag kann alles weggeworfen werden, was man nicht mehr will. Auch im geistigen Sinne. Dieser Tag eignet sich für das Beenden von Beziehungen, für den Beginn einer Diät, oder für Operationen, an denen etwas weg geschnitten wird. Er eignet sich auch für alle Arten von Abbrucharbeiten. Wenn eine Renovation damit beginnt, dass man zuerst etwas Altes entfernt, ist dieser Tag sehr geeignet dafür. Ebenfalls günstig für den Beginn des Abverkaufs von alten Artikeln und den Frühjahrsputz.
Der Tag eignet sich nicht für eine Hochzeit, nicht für den Kauf eines Haustieres oder die Adoption eines Kindes. Ebenfalls ungünstig sind der Einzug in ein neues Haus oder Büro, Geschäftseröffnungen, Beginn einer neuen Stellung im Geschäft, Beginn von Reisen.

3 Mǎn Fülle

Ein Tag der Fülle. Er ist sehr günstig für Vertragsunterschriften, Produkteinführungen oder Geschäftseröffnungen und eignet sich hervorragend für alles, wovon man mehr haben möchte. Mehr Geschäfte, mehr Läden, mehr Umsatz, usw. Er ist auch günstig für eine Einweihungsparty zuhause oder dafür, neue Geräte oder Maschinen zuhause oder im Geschäft zu installieren. Ebenfalls günstig für das Eintreiben von Schulden oder das Versenden von Mahnungen.
Der Tag eignet sich nicht für Hochzeiten, da man sonst noch mehr davon bekommt. Der Wunsch ist aber normalerweise, nur einmal zu heiraten.
Fülle-Tage sind nicht günstig dafür, Verträge zu unterschreiben, die einen zu Zahlungen verpflichten wie z.B. Scheidungsverträge. Sonst erhält man noch mehr solche Verpflichtungen. Solche Tage können nur verwendet werden für Transaktionen, von denen man noch mehr haben möchte. Fülle-Tage sind ungünstig für das Unterschreiben von Verpflichtungen oder Vereinbarungen über Zahlungen aller Art, für den Beginn von Gerichtsstreitigkeiten, oder von allen Dingen, von denen man nicht noch mehr möchte. Auch der Beginn eines verantwortungsvollen Berufs oder arbeitsreichen Jobs passt nicht für einen solchen Tag. Ebenfalls vermeiden sollte man alle Abbrucharbeiten und Begräbnisse, sowie den Beginn einer Diät oder einer Operation.

4 Píng Ausgleich

Günstig an solchen Tagen sind Hochzeiten, Baubeginn, Reisen und Geschäftsabschlüsse. Alle Aktivitäten, die an Ausgleich-Tagen beginnen, enden für alle Beteiligten positiv. Dies ist besonders hilfreich, wenn wir aus einer schwächeren Position aus verhandeln.

Der Tag eignet sich nicht in Situationen, in denen wir gewinnen wollen. Da er immer eine ausgeglichene Situation erzeugt, gewinnen an solchen Tagen immer beide Parteien. Somit eignet er sich nicht für den Beginn einer Rechtsstreitigkeit, bei der wir keinen Vergleich suchen, sondern als Sieger hervorgehen wollen. Der Tag ist auch ungünstig für Begräbnisse und für alle Aktivitäten, die mit der Aufteilung von Vermögen zu tun haben wie z.B. das Aufsetzen eines Testamentes oder die Aufteilung einer Firma. Dies geht nur, wenn alle ganz genau gleich viel erhalten. Das ist eher selten der Fall, weshalb man solche Tage nicht dafür nutzt, Werte zu verteilen.

5 Dìng Beständig

Dieser Tag ist sehr günstig für den Beginn langfristiger Unternehmungen. Alles, was lange andauern soll, kann an diesem Tag begonnen werden. Deshalb eignet sich der Tag gut für Hochzeiten, für Verträge, die lange halten sollen, für den endgültigen und dauerhaften Abschluss einer Angelegenheit, für Geschäftseröffnungen, für den Beginn von Renovationsarbeiten am Haus, oder dafür, einen neuen Mitarbeiter einzustellen, der lange bleiben soll. Ebenfalls günstig für die Anschaffung von Haustieren, für Einweihungspartys und den Beginn von Therapien.

Der Tag eignet sich nicht für den Einzug in ein neues Haus oder ein neues Büro, nicht für Begräbnisse oder Reisen. Projekte, die an solchen Tagen beginnen, dauern lange. Das kann ein Vorteil, aber auch ein Nachteil sein. Wenn wir das Projekt bald abschliessen wollen, ist ein solcher Tag sehr ungeeignet.

6 Zhí Einleiten

Dieser Tag eignet sich für alle neuen Dinge. Sehr günstig für das Vereinbaren von neuen Aufträgen, Verträge unterschreiben, oder für den Beginn eines neuen Projektes. Günstig sind auch Geschäftseröffnungen, Renovationen und der Beginn des Aushubs.

Ungünstig sind Umzüge in ein neues Haus oder Büro und der Beginn von Reisen. Der Tag ist nur ein durchschnittlicher. Für alle Arten von Neubeginn eignen sich Beginn-Tage (1 Jian) besser.

7 Pò Auflösung

Der Tag eignet sich gut für alle Arten von Abbruch und Zerstörung. Für alle anderen Aktionen von Bedeutung eignet sich der Tag gar nicht.

8 Wēi Risiko

Dieser Tag eignet sich gut für religiöse Zeremonien und Rituale, auch für Gebete und Meditationen. Ebenso günstig sind der Beginn des Aushubs, die Umstellung des Bettes und das Enthüllen von Statuen und Gedenktafeln.

Der Tag ist jedoch sehr ungünstig für alle Aktivitäten, die ein Unfallrisiko in sich tragen. Ebenso ungünstig für Reisen, Hochzeiten und Begräbnisse.

9 Chéng Erfolg

Im System der zwölf Tagesregenten ist dies der beste Tag von allen. Er eignet sich für alle Arten von wichtigen Aktionen. Günstig sind z.B. Hochzeiten, Verlobungen, Verträge unterschreiben, Werbung versenden, Therapien beginnen, Beginn von Bauarbeiten und Renovationen, Einzug in ein neues Haus oder Büro, Begräbnisse. Der Tag hat eine verstärkende Komponente auf alle dann begonnenen Aktivitäten. Deshalb wird er nur für positive Ereignisse verwendet.

Er ist ungünstig für den Beginn von Gerichtsfällen und für alle Handlungen, von denen wir nicht noch mehr wollen.

10 Shōu Annehmen

Dieser Tag ist sehr günstig für alles, was man erhalten möchte. Man kann jemanden um einen Gefallen bitten, oder man möchte eine Belohnung für eine Leistung erhalten. Er eignet sich für den Schulanfang, für den Beginn einer Ausbildung, für Vertragsabschlüsse, für das Anfragen nach einer Lohnerhöhung, für die Verlobung oder den Antritt einer neuen Stelle. Der Tag ist ungünstig für Begräbnisse, den Beginn einer Therapie, und den Besuch kranker Menschen.

11 Kāi Öffnen

Wie der Name schon sagt, passt der Tag sehr gut für alle Neueröffnungen, offizielle Empfänge, für einen Tag der offenen Tür, für den Empfang von Gästen, für Eröffnungsfeiern, Premieren, Einweihungspartys, für den Wiederbeginn von Arbeiten nach einer Pause oder nach den Ferien, Abschluss von Verträgen, für Hochzeiten und geschäftliche Aufträge. Er eignet sich gut für den Antritt einer neuen Stelle, den Beginn der Schule oder einer Ausbildung.
Er ist ungeeignet für Begräbnisse und für den Aushub von Gelände.

12 Bì Abschluss

Dieser Tag schliesst den Zyklus der zwölf Tagesregenten ab. Er kann nicht verwendet werden für Aktivitäten von grösserer privater oder geschäftlicher Bedeutung.

Die Qualitäten von Sonne und Mond

Durch den Lauf der Erde um die Sonne und das Kreisen des Mondes um die Erde entstehen Energiequalitäten, die ebenfalls für das Finden günstiger Zeitpunkte verwendet werden können. Die Methode heisst auf Chinesisch Huáng Dào Hēi Dào Shí Èr Jí Xiōng Shén Shà, was ungefähr heisst: Gelber Pfad (Ekliptik, Revolution der Erde um die Sonne), schwarzer Pfad (das Kreisen des Mondes um die Erde) zwölf günstige und ungünstige Qualitäten.
Diese Qualitäten dienen zur Feinabstimmung von gewählten Tagen. Wenn nach dem Weglassen aller fett gedruckten Tage und dem Bestimmen von Wertigkeit und Tagesregent immer noch mehrere Tage in Frage kommen, können diese Energien zur weiteren Beurteilung herangezogen werden. Wenn Sie aber einen nicht fett gedruckten Tag mit guter Wertigkeit gefunden haben, dann muss die Qualität von Sonne und Mond nicht auch noch zwingend günstig sein. Von den vier Systemen (Wertigkeit, Tagesregent, Sonne und Mond, Mondhaus) ist es ein schwächerer Einfluss.

Folgende Energien werden unterschieden: (In Klammern stehen die Wörter, die im Kalender erwähnt sind).

Qīng Lóng Grüner Drache (Drache +)
Sehr günstig, gute Nachrichten, Adel

Míng Táng Helle Halle (Halle +)
Sehr günstig, verleiht einen guten Ruf

Tiān Xíng Himmlische Dissonanz (Dissonanz -)
Schwierigkeiten, Blockaden, Kommunikationsprobleme.

Zhū Què Roter Phönix (Phönix -)
Streit, Gerichtsfälle, ungünstig, um Verträge abzuschliessen.
Ziehe nicht in ein neues Haus, installiere keine neue Türe.

Jīn Guì Goldener Schrank (Schrank +)
Reichtumsenergie, gut für alle Geschäfte

Bǎo Guāng Wertvolles Licht (Licht +)
Hilfe erhalten, Unterstützung, Protektion von oben

Bái Hǔ Weisser Tiger (Tiger -)
Streit, Gerichtsfälle, Verletzungen, ungünstig für die Gesundheit.

Yù Táng Jadehalle (Jadehalle +)
Reichtum, gute Geschäfte. Besonders günstig, um Vermögen rentabel zu investieren.

Tiān Láo Himmlisches Gefängnis (Gefängnis -)
Ungünstig, es gibt Fallen, Blockaden und Hindernisse. Man trägt an einer schweren Last.

Xuán Wǔ Schwarze Schildkröte (Schildkröte -)

Kleinkarierte Leute, Diebe, Spiesser. Verlust oder Raub von Dingen, wichtige Dokumente werden verlegt. Kümmere dich nur um deine eigenen Angelegenheiten, mische dich nirgends ein. Tue nichts, was irgendwie mit einer Beerdigung zu tun haben könnte.

Sī Mìng Chef des Lebens (Chef +)

Autorität, aber auch Gesundheit und Ressourcen.

Gōu Chén Haken (Haken -)

Betrug, man wird in die Probleme anderer hinein gezogen, falsches Spiel. Ungünstig für das Abschliessen von Verträgen oder das Eingehen von rechtlichen Verpflichtungen.

Die 28 Mondhäuser

Die 28 Mondhäuser sind sicher die schwächste Kategorie. Da sie aber sehr populär sind und in vielen westlichen und östlichen Kalenderwerken zum Feng Shui erwähnt sind, werden sie auch im Infis Kalender aufgeführt.

Die chinesische Astrologie kennt auch einen Zodiak wie wir im Westen. Er besteht aus 28 ungleichmässigen Abschnitten des Himmelsäquators. Mit dem Durchzählen der 28 Abschnitte entstand ein System wie das der Wochentage bei uns. Da der Mond nicht genau 28 Tage für einen vollen Umlauf braucht, die Zählung aber unbeirrt wieder bei 1 beginnt, befindet sich der Mond nur in Ausnahmefällen wirklich im betreffenden Mondhaus. Die Prägung, die den Tagen mit diesem System gegeben wurde, blieb erhalten. Auch bei uns hat der Sonntag nichts mit dem effektiven Ort der Sonne zu tun, oder der Montag weist nicht auf eine besondere Stellung des Mondes hin. Trotzdem ist die Planetenschwingung den Tagen aufgeprägt. Genauso ist es bei diesen 28 Mondhäusern.

Die Einteilung des Himmelsäquators

Der Himmelsäquator wird in vier Paläste unterteilt. Jeder Palast enthält 7 Häuser, von denen das 4. Haus das jeweils prägende Haus des Palastes ist. Es ist unterstrichen. Dabei sind die 7 Häuser Sternkonstellationen. Diese können ganz genau definiert werden. So besteht z.B. das Horn aus den Sternen alpha und zeta virginis. Alpha virginis ist der Stern Spica, der in jedem Sternatlas gefunden werden kann. Die wichtigsten Sterne sind erwähnt. Daneben werden immer auch Tiere zugeordnet, die den Charaktereigenschaften dieses Sternhauses entsprechen. Aus diesen 28 Tieren sind auch die schon bekannten 12 Tiere der Erdzweige entstanden. Sie sind hier fett gedruckt. Dabei ist zu beachten, dass das erste und zweite Tier eines Palastes zusammengehören, das dritte, vierte und fünfte und dann wieder das sechste und siebte. So geschieht es, dass das vierte Tier in der Mitte zwei Partner hat, die anderen Tiere nur einen. Die Aufteilung ist wie folgt:

Der Palast des Grünen Drachens des Frühlings: (Holz)

1. Das Horn - Krokodil (Spica)
2. Der Hals - **DRACHE** (Virgo)
3. Das Fundament - Marder (Libra)
4. Das Haus - **HASE** (Libra)
5. Das Herz - Fuchs (Antares)
6. Der Schwanz - **TIGER** (Scorpio)
7. Der Getreidekorb - Leopard (Sagittarius)

Der Palast der Schwarzen Schildkröte des Winters: (Wasser)

8. Die Schaufel - Einhorn (Sagittarius)
9. Der Ochsenhirte - **BÜFFEL** (Capricorn)
10. Das Mädchen - Fledermaus (Aquarius)
11. Die Leere - **RATTE** (Aquarius)
12. Die Gefahr - Schwalbe (Aquarius, Pegasus)
13. Der Raum - **SCHWEIN** (Pegasus)
14. Die Mauer - Stachelschwein (Pegasus)

Der Palast des Weissen Tigers des Herbstes: (Metall)

15. Rittlings - Wolf (Andromeda)
16. Der Hügel - **HUND** (Aries)
17. Der Magen - Fasan (Aries)
18. Die Plejaden - **HAHN** (Plejaden)
19. Das Netz - Krähe (Taurus)
20. Der Schnabel - **AFFE** (Orion)
21. Orion - Gorilla (Orion)

Der Palast des Roten Vogels des Sommers: (Feuer)

22. Der Brunnen - Wildhund (Gemini)
23. Der Geist - **SCHAF** (Cancer)
24. Die Weide - Reh (Hydra)
25. Der Stern - **PFERD** (Alphard)
26. Der Bogen - Hirsch (Crater)
27. Die Flügel - **SCHLANGE** (Corvus)
28. Die Kutsche - Wurm (Corvus)

Neben den Wochentagen sind den Mondhäusern auch die 7 Planeten Merkur, Venus, Mars, Jupiter, Saturn, Sonne, Mond zugeordnet. Sie sind beim jeweiligen Mondhaus vermerkt.

Die 28 Mondhäuser

Im Kalender sind die günstigen Mondhäuser mit einem +, die mässigen mit ~ und die ungünstigen mit - gekennzeichnet. Bei den mässigen Häusern können Sie den folgenden Text konsultieren, um zu sehen, wofür die Tage günstig oder weniger günstig sind.

Grüner Drache	Schwarze Schildkröte	Weisser Tiger	Roter Vogel
1 Horn ~	8 Schaufel ~	15 Rittlings ~	22 Brunnen ~
2 Hals -	9 Ochsenhirte -	16 Hügel +	23 Geist ~
3 Fundament ~	10 Mädchen ~	17 Magen ~	24 Weide -
4 Haus ~	11 Leere -	18 Plejaden -	25 Stern ~
5 Herz ~	12 Gefahr ~	19 Netz +	26 Bogen +
6 Schwanz +	13 Raum +	20 Schnabel -	27 Flügel -
7 Getreidekorb ~	14 Mauer ~	21 Orion ~	28 Kutsche ~

Die Mondhäuser und ihre Bedeutung

1. **Das Horn, Jupiter, Donnerstag (Krododil) - Mässig**
    Günstig: Heirat, Reisen, erster Spatenstich, Beginn des Aushubs, Geschäfte aller Art.
    Ungünstig: Beerdigungen.
2. **Der Hals, Venus, Freitag (Drache) - Ungünstig**
    Günstig: -
    Ungünstig: Heirat, Hausbau, Beerdigung, Geschäfte aller Art. Diese Konstellation führt zu Geldverlust.
3. **Das Fundament, Saturn, Samstag (Dachs) - Mässig**
    Günstig: Öffentliche Reden halten, Grundstücke kaufen, grosse Medienereignisse (z.B. Eröffnungsfeiern grosser Sportereignisse).
    Ungünstig: Hochzeit, Beerdingung, Hausbau, Renovationen, alles andere. Wer an diesem Tag einen Umbau, einen Neubau oder eine Renovation beginnt, riskiert einen Brand.
4. **Das Haus, Sonne, Sonntag (Hase) - Mässig**
    Günstig: Heirat, Beerdigung, lange Reisen, Gebete, Meditationen, Rituale, den Firstbalken setzen, Umzug.
    Ungünstig: Wichtige Investitionen, Geldtransaktionen.
5. **Das Herz, Mond, Montag (Fuchs) - Mässig**
    Günstig: Reisen, Waren einlagern.
    Ungünstig: Einen Gerichtsfall beginnen, Spatenstich, Aushub, Beerdigung.

6. **Der Schwanz, Mars, Dienstag (Tiger) - Günstig**
Günstig: Beerdigung, Türen ausrichten, setzen von Wasserobjekten, Heirat, Umbau, Renovation, Baubeginn, Vertragsunterschriften. Man erhält Unterstützung von oben.
Ungünstig: -

7. **Der Getreidekorb, Merkur, Mittwoch (Leopard) - Mässig**
Günstig: Baubeginn, das Einmessen einer neuen Türe, Aushub für Wasserobjekte, Schulden eintreiben, Geld einnehmen, alle Feng Shui Massnahmen.
Ungünstig: Nicht geeignet für persönliche Termine, Heirat.

8. **Die Schaufel, Jupiter, Donnerstag (Einhorn) - Mässig**
Günstig: Geschäfte aller Art, Literatur, Militär, Feng Shui Massnahmen (Türe ausrichten, Wasserobjekte setzen, usw.).
Ungünstig: Weniger geeignet für persönliche Termine, Beginn einer neuen Arbeit, eine neue Geschäftspartnerschaft eingehen.

9. **Der Ochsenhirte, Venus, Freitag (Ochse) - Ungünstig**
Günstig: Nichts.
Ungünstig: Für alles, v.a. Heirat und Vertragsunterschriften.

10. **Das Mädchen, Saturn, Samstag (Fledermaus) - Mässig**
Günstig: Akademische und literarische Aktivitäten, gut für private und Internet Angelegenheiten, Beginn einer Ausbildung, sich an einer Schule einschreiben.
Ungünstig: Öffentliche Angelegenheiten, Rechtsfälle, Beerdigung.

11. **Die Leere, Sonne, Sonntag (Ratte) - Ungünstig**
Günstig: -
Ungünstig: Bringt Krankheit, für alles.

12. **Die Gefahr, Mond, Montag (Schwalbe) - Mässig**
Günstig: Das Eintreiben von Schulden.
Ungünstig: Verletzung, Unfall, Unfälle auf dem Wasser, Gesundheitsprobleme, für alles ungünstig.

13. **Der Raum, Mars, Dienstag (Schwein) - Günstig**
Günstig: Hochzeit, Geschäftsbeginn, Baubeginn.
Ungünstig: -

14. **Die Mauer, Merkur, Mittwoch (Stachelschwein) - Mässig**
Günstig: Hochzeit, Eröffnungen, Vertragsunterzeichnung, Beerdigung. Bringt Reichtum.
Ungünstig: Reisen nach Süden.

15. **Rittlings, Jupiter, Donnerstag (Wolf) - Mässig**
Günstig: Reisen, Umbau, Renovation.
Ungünstig: Geschäftseröffnung, bringt Rechtsprobleme, Hindernisse und Probleme aller Art.

16. **Der Hügel, Venus, Freitag (Hund) - Günstig**
Günstig: Geschäfte aller Art, persönliche Angelegenheiten aller Art, Hochzeit, Geschäftsabschlüsse, Renovationen, Umbauten, Neubau. Vor allem günstig, um neue Räume anzubauen bzw. das Haus zu vergrössern. Er bringt Reichtum.
Ungünstig: -

17. **Der Magen, Saturn, Samstag (Fasan) - Mässig**
Günstig: Hochzeit, Begräbnis, günstig für alle öffentlichen Angelegenheiten, bringt Gesundheit, Reichtum, und Freude.
Ungünstig: Private oder interne Angelegenheiten.

18. **Die Plejaden, Sonne, Sonntag (Hahn) - Ungünstig**
Günstig: -
Ungünstig: Hochzeit, Schulden eintreiben, einen Gerichtsfall beginnen, für alles.

19. **Das Netz, Mond, Montag (Rabe) - Günstig**
Günstig: Bauarbeiten, Kauf von Land, Hochzeit. Bringt Harmonie und Frieden, günstig für alles.
Ungünstig: -

20. **Der Schnabel, Mars, Dienstag (Affe) - Ungünstig**
Günstig: -
Ungünstig: Für alles.

21. **Orion, Merkur, Mittwoch (Grosser Affe) - Mässig**
    Günstig: Feng Shui Massnahmen, Reisen, Umbau, Renovation, Bauarbeiten
    Ungünstig: Hochzeit, Beerdigung
22. **Der Brunnen, Jupiter, Donnerstag (Wildhund) - Mässig**
    Günstig: Feng Shui Massnahmen wie z.B. das Ausrichten einer Türe, das Setzen von Wasserobjekten, Spatenstich, Aushub, ein geschäftliches Projekt beginnen.
    Ungünstig: Beerdigung, Vertragsunterzeichnungen, Hochzeit.
23. **Der Geist, Venus, Freitag (Schaf) - Mässig**
    Günstig: Beerdigung.
    Ungünstig: Hochzeit, Reisen nach Westen, Bauarbeiten.
24. **Die Weide, Saturn, Samstag (Reh) - Ungünstig**
    Günstig: -
    Ungünstig: Eine neue Stelle anfangen, ein Geschäft beginnen, Eigentum erwerben, Geschäfte beschliessen, Beerdigung, Feng Shui Massnahmen wie das Ausrichten von Türen und das Setzen von Wasserobjekten.
25. **Der Stern, Sonne, Sonntag (Pferd) - Mässig**
    Günstig: Hochzeit, Verhandlungen, Beginn wichtiger Projekte, Eröffnungen.
    Ungünstig: Beerdigung.
26. **Der Bogen, Mond, Montag (Hirsch) - Günstig**
    Günstig: Gut für alle geschäftlichen und persönlichen Angelegenheiten, Geschäftseröffnungen, Vertragsunterschriften, Vermögen erwerben, Hochzeit.
    Ungünstig: -
27. **Die Flügel, Mars, Dienstag (Schlange) - Ungünstig**
    Günstig: -
    Ungünstig: Feng Shui Massnahmen wie das Ausrichten einer Türe, Beerdigung, Hochzeit, einen neuen Job beginnen, eine neue Position in der Firma einnehmen.
28. **Die Kutsche, Merkur, Mittwoch (Wurm) - Mässig**
    Günstig: Vermögenswerte erwerben, Hochzeit, Investitionen, Bewilligungen einholen, eine Ausbildung beginnen, sich an einer Schule einschreiben.
    Ungünstig: Reisen, v.a. in den Norden.

Jedem Mondhaus sind Elemente zugeordnet:
Jupiter = Holz, Mars = Feuer, Sonne = Feuer, Mond = Feuer, Saturn = Erde, Venus = Metall, Merkur = Wasser. Diese Elemente verändern die Bedeutung der Mondhäuser etwas. Im Frühling und Sommer sind die Mondhäuser des Elementes Feuer günstiger. Im Winter und Frühling sind die Holz-Häuser besser, im Sommer sind alle Mondhäuser mit dem Element Erde günstiger, Metall-Häuser sind besonders günstig im Herbst, Wasser-Häuser im Herbst und Winter.

Xuan Kong Da Gua Ze Ri
Die Zahlen der Hexagramme und der OOG

In der Spalte «XKDG» finden Sie die Zahlen der Hexagramme. Die erste Zahl ist die Nummer des oberen Trigramms in der frühhimmlischen Zählweise. Die untere Nummer ist der Stern (Ai Xing). Daneben finden Sie die Leere, das sogenannte «Out of Gua», was wir als OOG abkürzen. Die Angabe 1//7, 468 ergibt also folgende Information:

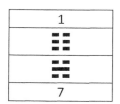

Das obere Hexagramm ist 1 Kun, der Stern ist 7, was bedeutet, dass die mittlere Linie wandelt. Somit erhalten wir als unteres Trigramm Kan. Der OOG 468 bedeutet, dass alle Ming Gua 4 Xun, 6 Qian und 8 Gen durch diesen Tag in die Leere gesetzt werden.

Die Familienstrukturen

Die chinesischen Meister meinen, dass Xuan Kong Da Gua dem traditionellen Ze Ri überlegen sei. Wenn Sie also Strukturen mit Hilfe der Hexagramme bilden können, dann sollten Sie diese bevorzugen. Die Wertigkeit, der Tagesregent und die Qualitäten von Sonne und Mond werden dabei nicht mehr berücksichtigt.

Die acht Familien bilden Gruppen von Hexagrammen, die besonders stark zusammen gehören. Vor allem für langfristige Projekte und für alle Geldangelegenheiten sind diese Strukturen sehr günstig. Dabei sind folgende drei Punkte zu beachten:

1 Für exzellente Strukturen muss immer ein Elternteil dabei sein, das sind Hexagramme mit Stern 1 oder 9.
2 Es darf keine Wiederholungen geben, d.h. jedes Hexagramm darf nur einmal vorkommen.
3 Es dürfen nicht alle vier Hexagramme das gleiche Geschlecht haben.

Sollte eines dieser Kriterien nicht erfüllt sein, handelt es sich immer noch um gute Strukturen, jedoch deutlich schwächer.

Elternhexagramme stehen für einen guten Ruf, einen edlen und wohlwollenden Charakter, Macht und Nachhaltigkeit. Sie fördern auch die Hilfe von anderen Menschen. Sie fördern die Verbindungen zu anderen Menschen und das Netzwerk, das beruflich von grosser Bedeutung sein kann. Sie sind daran zu erkennen, dass ihre Zahlen immer auf 1 oder 9 enden. Elternhexagramme sind z.B. 1//9, 2//1, 4//9, 8//1, 9//1, usw.

Kinderhexagramme stehen für schnelle Erfolge, Geld, Karriere und Gewinne. Diesen Gewinn erarbeitet man selber. Die Kinderhexagramme zeigen keine Hilfe von anderen Menschen an.
Ein Termin, der nur Elternhexagramme verwendet, verleiht Adel und einen guten Ruf, die Menschen sind hilfreich, aber es gibt kein Geld.
Ein Termin, der nur Kinderhexagramme verwendet, verleiht Geld und eine gute Karriere, ist aber nicht nachhaltig. Das Geld kommt und geht auch schnell wieder. Der Ruf wird nicht unterstützt und es gibt keine Unterstützung durch die Menschen. Kinderhexagramme erkennt man daran, dass die zweite Zahl immer eine 2, 3, 4, 6, 7 oder 8 ist. Kinderhexagramme sind z.B. 1//8, 2//4, 4//7, 3//2, usw.

Wenn Jahr, Monat, Tag und Stunde einer Familie entsprechen, handelt es sich um eine solche Familienstruktur. Es müssen aber unbedingt alle vier Säulen derselben Familie angehören. Also halbe Strukturen, bei denen z.B. Tag und Stunde derselben Familie angehören, gehen nicht.

Jede Familie besteht aus einer Mutter und einem Vater sowie sechs Söhnen und sechs Töchtern. So umfasst eine Familie jeweils 14 Hexagramme. Dabei ist es immer so, dass die Kinder-Hexagramme zu zwei Familien gehören. Im Kalender werden die Familienzugehörigkeit und das Geschlecht immer angegeben. Wir sehen in z.B. bei Hexagramm 7 Das Heer die Familienzugehörigkeit D1+/D3-. Das bedeutet, dass dieses Hexagramm ein Sohn (+) in der Familie D1 ist und eine Tochter (-) in der Familie D3.

Elternhexagramme gehören immer nur einer Familie an. Im Kalender werden sie fett gedruckt, um zu zeigen, dass es sich um ein Elternhexagramm handelt.

Im Chinesischen werden die Familien nicht von D1 bis D4 und von I1 bis I4 nummeriert, sondern sie werden nach ihren Elternhexagrammen benannt.

Familienname Infis	Struktur	Familienname chinesisch
D1	Direkte Kinder	Qián - Kūn
D2	Direkte Kinder	Zhèn - Xùn
D3	Direkte Kinder	Kǎn - Lí
D4	Direkte Kinder	Gèn - Duì
I1	Indirekte Kinder	Pǐ - Tài
I2	Indirekte Kinder	Héng - Yì
I3	Indirekte Kinder	Jì Jì - Wèi Jì
I4	Indirekte Kinder	Sǔn - Xián

Die vier Gruppen

Eine weitere sehr gute Struktur ergibt sich, wenn alle Hexagramme von Jahr, Tag, Monat und Stunde derselben Gruppe entsprechen. Im Kalender sind die Gruppen zu jedem Hexagramm angegeben, so dass Sie sehr leicht die Strukturen zusammensetzen können. Beginnen Sie immer bei Jahr und Monat. Wenn diese zwei Hexagramme in derselben Gruppe liegen, finden Sie einen Tag und eine Stunde, die auch dieser Gruppe zugehören. So ergibt eine sehr gute Struktur, die sich für alle wichtigen Termine eignet. Die Gruppe ist ein Konzept, das in dieser Formulierung in den chinesischen Texten nicht vorkommt. Sie entsteht dadurch, dass sowohl die obere als auch die untere Zahl des Hexagramms eine Struktur bildet. Da dies einer gewissen Logik unterliegt, lassen sich daraus vier Gruppen bilden. Das erleichtert die Arbeit mit den Hexagrammen beträchtlich.

Der Sieben-Sterne-Raub

Wenn wir die acht Hexagramme eines Palastes auf den Kopf stellen, erhalten wir sieben Partnerhexagramme. Diese bilden jeweils eine Gruppe, die als «Raub» bezeichnet wird. Da in jedem Palast ein Hexagramm steht, das symmetrisch aufgebaut ist, also genau gleich aussieht, wenn es auf den Kopf gestellt wird, erhalten wir nur sieben weitere Hexagramme. Daher der Name der Struktur. Sie gilt als weniger stark als die Familie und die Gruppe, kann aber durchaus für einen günstigen Tag genommen werden, wenn keine stärkeren Strukturen zur Verfügung stehen.

Der Infis Feng Shui Kalender 2021

Jahr 2021	Binom	OHS	EZ	Na Yin		Stern				
3.2.2021, 15:59 Uhr	38	8 Metall	Büffel	Erde		6				
1. Monat	**Binom**	**OHS**	**EZ**	**Na Yin**	**Atemzug**	**Stern**				
3.2.2021, 15:59 Uhr	27	7 Metall	Tiger	Holz	18.02.2021 11:44	5				
Tage									**Sonne +**	**Mond-**
Datum	**Binom**	**OHS**	**EZ**	**Na Yin**	**Störung**	**Stern**	**12 Regenten**	**Wertigkeit**	**Mond**	**haus**
Mittwoch, 3. Februar 2021	19	9 Wasser	Pferd	Holz		1	5 Beständig	günstig	Tiger -	21 Orion ~
Donnerstag, 4. Februar 2021	20	10 Wasser	Schaf	Holz	OJ	2	6 Einleiten	ungünstig	Jadehalle +	22 Brunnen ~
Freitag, 5. Februar 2021	21	1 Holz	Affe	Wasser	OM	3	7 Auflösung	ungünstig	Gefängnis -	23 Geist ~
Samstag, 6. Februar 2021	22	2 Holz	Hahn	Wasser		4	8 Risiko	ungünstig	Schildkröte -	24 Weide -
Sonntag, 7. Februar 2021	23	3 Feuer	Hund	Erde		5	9 Erfolg	ungünstig	Chef +	25 Stern ~
Montag, 8. Februar 2021	24	4 Feuer	Schwein	Erde	SM	6	10 Annehmen	ungünstig	Haken -	26 Bogen +
Dienstag, 9. Februar 2021	25	5 Erde	Ratte	Feuer	SM	7	11 Öffnen	günstig	Drache +	27 Flügel -
Mittwoch, 10. Februar 2021	26	6 Erde	Büffel	Feuer	SM	8	12 Abschluss	ungünstig	Halle +	28 Kutsche ~
Donnerstag, 11. Februar 2021	27	7 Metall	Tiger	Holz	SJ/FM	9	1 Beginn	ungünstig	Dissonanz -	1 Horn ~
Freitag, 12. Februar 2021	28	8 Metall	Hase	Holz	SJ	1	2 Entfernen	ungünstig	Phönix -	2 Hals -
Samstag, 13. Februar 2021	29	9 Wasser	Drache	Wasser	SJ	2	3 Fülle	ungünstig	Schrank +	3 Fundament ~
Sonntag, 14. Februar 2021	30	10 Wasser	Schlange	Wasser		3	4 Ausgleich	ungünstig	Licht +	4 Haus ~
Montag, 15. Februar 2021	31	1 Holz	Pferd	Metall		4	5 Beständig	günstig	Tiger -	5 Herz ~
Dienstag, 16. Februar 2021	32	2 Holz	Schaf	Metall	OJ	5	6 Einleiten	sehr ungünstig	Jadehalle +	6 Schwanz +
Mittwoch, 17. Februar 2021	33	3 Feuer	Affe	Feuer	OM/WL	6	7 Auflösung	ungünstig	Gefängnis -	7 Korb ~
Donnerstag, 18. Februar 2021	34	4 Feuer	Hahn	Feuer		7	8 Risiko	günstig	Schildkröte -	8 Schaufel ~
Freitag, 19. Februar 2021	35	5 Erde	Hund	Holz	WL	8	9 Erfolg	sehr ungünstig	Chef +	9 Hirte -
Samstag, 20. Februar 2021	36	6 Erde	Schwein	Holz	SM	9	10 Annehmen	ungünstig	Haken -	10 Mädchen ~
Sonntag, 21. Februar 2021	37	7 Metall	Ratte	Erde	SM	1	11 Öffnen	günstig	Drache +	11 Leere -
Montag, 22. Februar 2021	38	8 Metall	Büffel	Erde	FJ/SM	2	12 Abschluss	ungünstig	Halle +	12 Gefahr ~
Dienstag, 23. Februar 2021	39	9 Wasser	Tiger	Metall	SJ	3	1 Beginn	ungünstig	Dissonanz -	13 Raum +
Mittwoch, 24. Februar 2021	40	10 Wasser	Hase	Metall	SJ	4	2 Entfernen	ungünstig	Phönix -	14 Mauer ~
Donnerstag, 25. Februar 2021	41	1 Holz	Drache	Feuer	SJ	5	3 Fülle	sehr ungünstig	Schrank +	15 Rittlings ~
Freitag, 26. Februar 2021	42	2 Holz	Schlange	Feuer		6	4 Ausgleich	ungünstig	Licht +	16 Hügel +
Samstag, 27. Februar 2021	43	3 Feuer	Pferd	Wasser		7	5 Beständig	sehr günstig	Tiger -	17 Magen ~
Sonntag, 28. Februar 2021	44	4 Feuer	Schaf	Wasser	OJ	8	6 Einleiten	ungünstig	Jadehalle +	18 Plejaden -
Montag, 1. März 2021	45	5 Erde	Affe	Erde	OM	9	7 Auflösung	ungünstig	Gefängnis -	19 Netz +
Dienstag, 2. März 2021	46	6 Erde	Hahn	Erde		1	8 Risiko	ungünstig	Schildkröte -	20 Schnabel -
Mittwoch, 3. März 2021	47	7 Metall	Hund	Metall		2	9 Erfolg	ungünstig	Chef +	21 Orion ~
Donnerstag, 4. März 2021	48	8 Metall	Schwein	Metall	SM	3	10 Annehmen	ungünstig	Haken -	22 Brunnen ~

Jahr 2021	Binom	Na Yin	XKDG	Familie	Gruppe	7 Sterne Raub	64 Hexagramme
3.2.2021, 15:59 Uhr	38	Erde	1//3, 468	I1+ / I3-	Gruppe 3	Kun/Li	36 Die Verfinsterung des Lichts
1. Monat	**Binom**	**Na Yin**	**XKDG**	**Familie**	**Gruppe**	**7 Sterne Raub**	**64 Hexagramme**
3.2.2021, 15:59 Uhr	27	Holz	**3//1, 237** 4//2, 468	D3- I3- / I4+	**Gruppe 4** Gruppe 3	**Li** Xun/Li	**30 Das Feuer** 49 Die Umwälzung
Tage							
Datum	**Binom**	**Na Yin**	**XKDG**	**Familie**	**Gruppe**	**7 Sterne Raub**	**64 Hexagramme**
Mittwoch, 3. Februar 2021	19	Holz	2//1, 127	**D2-**	Gruppe 4	Xun/Dui	57 Der Wind
Donnerstag, 4. Februar 2021	**20**	Holz	4//8, 469	D3- / D4+	Gruppe 3	Xun/Kan	47 Die Bedrängnis
Freitag, 5. Februar 2021	**21**	Wasser	3//9, 237	**I3-**	Gruppe 4	Li/Kan	64 Vor der Vollendung
Samstag, 6. Februar 2021	22	Wasser	9//4, 137	I1- / I4+	Gruppe 1	Gen/Qian	33 Der Rückzug
Sonntag, 7. Februar 2021	23	Erde	6//1, 123	**D4+**	Gruppe 1	Gen/Zhen	52 Der Berg
Montag, 8. Februar 2021	**24**	Erde	8//8, 689	D1+ / D2-	Gruppe 2	Kun/Gen	16 Die Begeisterung
Dienstag, 9. Februar 2021	**25**	Feuer	7//4, 468	I2+ / I3-	Gruppe 4	Kan/Zhen	3 Die Anfangsschwierigkeit
Mittwoch, 10. Februar 2021	**26**	Feuer	9//2, 127	I1- / I2+	Gruppe 3	Zhen/Qian	25 Die Unschuld
Donnerstag, 11. Februar 2021	**27**	Holz	**3//1, 237** 4//2, 468	D3- I3- / I4+	**Gruppe 4** Gruppe 3	**Li** Xun/Li	**30 Das Feuer** 49 Die Umwälzung
Freitag, 12. Februar 2021	**28**	Holz	2//3, 123	I2+ / I4-	Gruppe 2	Dui	61 Die innere Wahrheit
Samstag, 13. Februar 2021	**29**	Wasser	6//4, 123	I1+ / I4-	Gruppe 1	Zhen/Qian	26 Das Ansammeln im Grossen
Sonntag, 14. Februar 2021	30	Wasser	4//6, 489	D1- / D4+	Gruppe 1	Xun/Qian	43 Der Durchbruch
Montag, 15. Februar 2021	31	Metall	**9//1, 137** 9//8, 137	**D1+** D1- / D2+	**Gruppe 1** Gruppe 3	**Qian** Xun/Qian	**1 Der Himmel** 44 Das Entgegenkommen
Dienstag, 16. Februar 2021	**32**	Metall	7//6, 689	D2+ / D3-	Gruppe 4	Xun/Kan	48 Der Brunnen
Mittwoch, 17. Februar 2021	**33**	Feuer	8//4, 689	I2- / I3+	Gruppe 4	Gen/Kan	40 Die Befreiung
Donnerstag, 18. Februar 2021	34	Feuer	4//9, 469	**I4-**	Gruppe 1	Xun/Gen	31 Die Einwirkung
Freitag, 19. Februar 2021	**35**	Holz	1//6, 469	D1+ / D4-	Gruppe 1	Kun/Gen	15 Die Bescheidenheit
Samstag, 20. Februar 2021	**36**	Holz	2//2, 137	I1- / I2+	Gruppe 2	Kun/Dui	20 Die Betrachtung
Sonntag, 21. Februar 2021	**37**	Erde	2//9, 127	**I2-**	Gruppe 4	Dui/Zhen	42 Die Mehrung
Montag, 22. Februar 2021	**38**	Erde	1//3, 468	I1+ / I3-	Gruppe 3	Kun/Li	36 Die Verfinsterung des Lichts
Dienstag, 23. Februar 2021	**39**	Metall	9//7, 237	D1- / D3+	Gruppe 3	Li/Qian	13 Die Gemeinschaft
Mittwoch, 24. Februar 2021	**40**	Metall	8//7, 469	D2- / D4+	Gruppe 2	Dui/Gen	54 Das heiratende Mädchen
Donnerstag, 25. Februar 2021	**41**	Feuer	3//2, 123	I3+ / I4-	Gruppe 2	Li/Dui	38 Der Gegensatz
Freitag, 26. Februar 2021	42	Feuer	7//3, 489	I1+ / I3-	Gruppe 2	Kan/Qian	5 Das Warten
Samstag, 27. Februar 2021	43	Wasser	4//3, 689	I2- / I4+	Gruppe 3	Xun	28 Des Grossen Übergewicht
Sonntag, 28. Februar 2021	**44**	Wasser	6//7, 127	D2+ / D4-	Gruppe 3	Xun/Zhen	18 Die Arbeit am Verdorbenen
Montag, 1. März 2021	**45**	Erde	2//6, 237	D2+ / D3-	Gruppe 4	Dui/Kan	59 Die Auflösung
Dienstag, 2. März 2021	46	Erde	3//8, 237	D3+ / D4-	Gruppe 2	Li/Gen	56 Der Wanderer
Mittwoch, 3. März 2021	47	Metall	9//9, 137	**I1+**	Gruppe 1	Kun/Qian	12 Die Stockung
Donnerstag, 4. März 2021	**48**	Metall	7//7, 489	D1+ / D3-	Gruppe 2	Kun/Kan	8 Die Verbundenheit

Jahr 2021	Binom	OHS	EZ	Na Yin		Stern				
3.2.2021, 15:59 Uhr	38	8 Metall	Büffel	Erde		6				

2. Monat	Binom	OHS	EZ	Na Yin	Atemzug	Stern				
05.03.2021, 09:54 Uhr	28	8 Metall	Hase	Holz	20.03.2021 10:37	4				

Tage									Sonne +	Mond-
Datum	Binom	OHS	EZ	Na Yin	Störung	Stern	12 Regenten	Wertigkeit	Mond	haus
Freitag, 5. März 2021	49	9 Wasser	Ratte	Holz		4	10 Annehmen	ungünstig	Chef +	23 Geist ~
Samstag, 6. März 2021	50	10 Wasser	Büffel	Holz		5	11 Öffnen	sehr ungünstig	Haken -	24 Weide -
Sonntag, 7. März 2021	51	1 Holz	Tiger	Wasser	SJ	6	12 Abschluss	ungünstig	Drache +	25 Stern ~
Montag, 8. März 2021	52	2 Holz	Hase	Wasser	SJ	7	1 Beginn	ungünstig	Halle +	26 Bogen +
Dienstag, 9. März 2021	53	3 Feuer	Drache	Erde	SJ	8	2 Entfernen	ungünstig	Dissonanz -	27 Flügel -
Mittwoch, 10. März 2021	54	4 Feuer	Schlange	Erde		9	3 Fülle	genügend	Phönix -	28 Kutsche ~
Donnerstag, 11. März 2021	55	5 Erde	Pferd	Feuer		1	4 Ausgleich	ungünstig	Schrank +	1 Horn ~
Freitag, 12. März 2021	56	6 Erde	Schaf	Feuer	OJ	2	5 Beständig	ungünstig	Licht +	2 Hals -
Samstag, 13. März 2021	57	7 Metall	Affe	Holz	SM	3	6 Einleiten	ungünstig	Tiger -	3 Fundament ~
Sonntag, 14. März 2021	58	8 Metall	Hahn	Holz	OM/SM	4	7 Auflösung	sehr ungünstig	Jadehalle +	4 Haus ~
Montag, 15. März 2021	59	9 Wasser	Hund	Wasser	SM	5	8 Risiko	sehr ungünstig	Gefängnis -	5 Herz ~
Dienstag, 16. März 2021	60	10 Wasser	Schwein	Wasser		6	9 Erfolg	sehr günstig	Schildkröte -	6 Schwanz +
Mittwoch, 17. März 2021	1	1 Holz	Ratte	Metall		7	10 Annehmen	ungünstig	Chef +	7 Korb ~
Donnerstag, 18. März 2021	2	2 Holz	Büffel	Metall		8	11 Öffnen	ungünstig	Haken -	8 Schaufel ~
Freitag, 19. März 2021	3	3 Feuer	Tiger	Feuer	SJ/SL	9	12 Abschluss	ungünstig	Drache +	9 Hirte -
Samstag, 20. März 2021	4	4 Feuer	Hase	Feuer	SJ	1	1 Beginn	ungünstig	Halle +	10 Mädchen ~
Sonntag, 21. März 2021	5	5 Erde	Drache	Holz	SJ	2	2 Entfernen	sehr ungünstig	Dissonanz -	11 Leere -
Montag, 22. März 2021	6	6 Erde	Schlange	Holz		3	3 Fülle	genügend	Phönix -	12 Gefahr ~
Dienstag, 23. März 2021	7	7 Metall	Pferd	Erde		4	4 Ausgleich	ungünstig	Schrank +	13 Raum +
Mittwoch, 24. März 2021	8	8 Metall	Schaf	Erde	OJ	5	5 Beständig	ungünstig	Licht +	14 Mauer ~
Donnerstag, 25. März 2021	9	9 Wasser	Affe	Metall	SM	6	6 Einleiten	günstig	Tiger -	15 Rittlings ~
Freitag, 26. März 2021	10	10 Wasser	Hahn	Metall	OM/SM	7	7 Auflösung	ungünstig	Jadehalle +	16 Hügel +
Samstag, 27. März 2021	11	1 Holz	Hund	Feuer	SM	8	8 Risiko	ungünstig	Gefängnis -	17 Magen -
Sonntag, 28. März 2021	12	2 Holz	Schwein	Feuer		9	9 Erfolg	günstig	Schildkröte -	18 Plejaden -
Montag, 29. März 2021	13	3 Feuer	Ratte	Wasser		1	10 Annehmen	ungünstig	Chef +	19 Netz +
Dienstag, 30. März 2021	14	4 Feuer	Büffel	Wasser		2	11 Öffnen	sehr ungünstig	Haken -	20 Schnabel -
Mittwoch, 31. März 2021	15	5 Erde	Tiger	Erde	SJ	3	12 Abschluss	ungünstig	Drache +	21 Orion ~
Donnerstag, 1. April 2021	16	6 Erde	Hase	Erde	SJ	4	1 Beginn	ungünstig	Halle +	22 Brunnen ~
Freitag, 2. April 2021	17	7 Metall	Drache	Metall	SJ	5	2 Entfernen	ungünstig	Dissonanz -	23 Geist ~
Samstag, 3. April 2021	18	8 Metall	Schlange	Metall		6	3 Fülle	genügend	Phönix -	24 Weide -

Jahr 2021	Binom	Na Yin	XKDG	Familie	Gruppe	7 Sterne Raub	64 Hexagramme
3.2.2021, 15:59 Uhr	38	Erde	1//3, 468	I1+ / I3-	Gruppe 3	Kun/Li	36 Die Verfinsterung des Lichts
2. Monat	**Binom**	**Na Yin**	**XKDG**	**Familie**	**Gruppe**	**7 Sterne Raub**	**64 Hexagramme**
05.03.2021, 09:54 Uhr	28	Holz	2//3, 123	I2+ / I4-	Gruppe 2	Dui	61 Die innere Wahrheit
Tage							
Datum	**Binom**	**Na Yin**	**XKDG**	**Familie**	**Gruppe**	**7 Sterne Raub**	**64 Hexagramme**
Freitag, 5. März 2021	49	Holz	8//1, 689	D2+	Gruppe 4	Gen/Zhen	51 Der Donner
Samstag, 6. März 2021	50	Holz	6//8, 123	D3+ / D4-	Gruppe 3	Li/Zhen	22 Die Anmut
Sonntag, 7. März 2021	**51**	Wasser	7//9, 468	**I3+**	Gruppe 4	Li/Kan	63 Nach der Vollendung
Montag, 8. März 2021	**52**	Wasser	1//4, 489	I1+ / I4-	Gruppe 1	Kun/Dui	19 Die Annäherung
Dienstag, 9. März 2021	**53**	Erde	4//1, 469	**D4-**	Gruppe 1	Xun/Dui	58 Der See
Mittwoch, 10. März 2021	54	Erde	2//8, 127	D1- / D2+	Gruppe 2	Dui/Qian	9 Das Ansammeln im Kleinen
Donnerstag, 11. März 2021	55	Feuer	3//4, 237	I2- / I3+	Gruppe 4	Xun/Li	50 Der Tiegel
Freitag, 12. März 2021	**56**	Feuer	1//2, 689	I1+ / I2-	Gruppe 3	Kun/Xun	46 Das Empordringen
Samstag, 13. März 2021	**57**	Holz	**7//1, 468** 6//2, 237	**D3+** I3+ / I4-	**Gruppe 4** Gruppe 3	**Kan** Kan/Zhen	**29 Das Wasser** 4 Die Unerfahrenheit
Sonntag, 14. März 2021	**58**	Holz	8//3, 469	I2- / I4+	Gruppe 2	Gen	62 Des Kleinen Übergewicht
Montag, 15. März 2021	**59**	Wasser	4//4, 469	I1- / I4+	Gruppe 1	Kun/Xun	45 Die Sammlung
Dienstag, 16. März 2021	60	Wasser	6//6, 137	D1+ / D4-	Gruppe 1	Kun/Zhen	23 Die Zersplitterung
Mittwoch, 17. März 2021	1	Metall	**1//1, 489** 1//8, 489	**D1-** D1+ / D2-	**Gruppe 1** Gruppe 3	**Kun** Kun/Zhen	**2 Die Erde** 24 Die Wiederkehr
Donnerstag, 18. März 2021	2	Metall	3//6, 127	D2- / D3+	Gruppe 4	Li/Zhen	21 Das Durchbeissen
Freitag, 19. März 2021	**3**	Feuer	2//4, 127	I2+ / I3-	Gruppe 4	Li/Dui	37 Die Familie
Samstag, 20. März 2021	**4**	Feuer	6//9, 123	**I4+**	Gruppe 1	Dui/Zhen	41 Die Minderung
Sonntag, 21. März 2021	**5**	Holz	9//6, 123	D1- / D4+	Gruppe 1	Dui/Qian	10 Das Auftreten
Montag, 22. März 2021	6	Holz	8//2, 489	I1+ / I2-	Gruppe 2	Gen/Qian	34 Die Kraft des Grossen
Dienstag, 23. März 2021	7	Erde	8//9, 689	**I2+**	Gruppe 4	Xun/Gen	32 Die Dauer
Mittwoch, 24. März 2021	**8**	Erde	9//3, 237	I1- / I3+	Gruppe 3	Kan/Qian	6 Der Streit
Donnerstag, 25. März 2021	**9**	Metall	1//7, 468	D1+ / D3-	Gruppe 3	Kun/Kan	7 Das Heer
Freitag, 26. März 2021	**10**	Metall	2//7, 123	D2+ / D4-	Gruppe 2	Dui/Gen	53 Die Entwicklung
Samstag, 27. März 2021	**11**	Feuer	7//2, 469	I3- / I4+	Gruppe 2	Gen/Kan	39 Das Hemmnis
Sonntag, 28. März 2021	12	Feuer	3//3, 137	I1- / I3+	Gruppe 2	Kun/Li	35 Der Fortschritt
Montag, 29. März 2021	13	Wasser	6//3, 127	I2+ / I4-	Gruppe 3	Zhen	27 Die Ernährung
Dienstag, 30. März 2021	14	Wasser	4//7, 689	D2- / D4+	Gruppe 3	Xun/Zhen	17 Das Nachfolgen
Mittwoch, 31. März 2021	**15**	Erde	8//6, 468	D2- / D3+	Gruppe 4	Li/Gen	55 Die Fülle
Donnerstag, 1. April 2021	**16**	Erde	7//8, 468	D3- / D4+	Gruppe 2	Dui/Kan	60 Die massvolle Einteilung
Freitag, 2. April 2021	**17**	Metall	1//9, 489	**I1-**	Gruppe 1	Kun/Qian	11 Der Friede
Samstag, 3. April 2021	18	Metall	3//7, 137	D1- / D3+	Gruppe 2	Li/Qian	14 Grosser Besitz

Jahr 2021	Binom	OHS	EZ	Na Yin		Stern				
3.2.2021, 15:59 Uhr	38	8 Metall	Büffel	Erde		6				
3. Monat	**Binom**	**OHS**	**EZ**	**Na Yin**	**Atemzug**	**Stern**				
4.4.2021, 14:35 Uhr	29	9 Wasser	Drache	Wasser	19.04.2021 21:34	3				

Tage / Datum	Binom	OHS	EZ	Na Yin	Störung	Stern	12 Regenten	Wertigkeit	Sonne + Mond	Mond- haus
Sonntag, 4. April 2021	19	9 Wasser	**Pferd**	Holz	SM	7	3 Fülle	günstig	Dissonanz -	25 Stern ~
Montag, 5. April 2021	20	10 Wasser	**Schaf**	Holz	OJ	8	4 Ausgleich	ungünstig	Phönix -	26 Bogen +
Dienstag, 6. April 2021	21	1 Holz	Affe	Wasser		9	5 Beständig	günstig	Schrank +	27 Flügel -
Mittwoch, 7. April 2021	22	2 Holz	Hahn	Wasser		1	6 Einleiten	günstig	Licht +	28 Kutsche ~
Donnerstag, 8. April 2021	23	**3 Feuer**	**Hund**	Erde	OM	2	7 Auflösung	sehr ungünstig	Tiger -	1 Horn ~
Freitag, 9. April 2021	24	4 Feuer	Schwein	Erde		3	8 Risiko	ungünstig	Jadehalle +	2 Hals -
Samstag, 10. April 2021	25	5 Erde	Ratte	Feuer		4	9 Erfolg	günstig	Gefängnis -	3 Fundament ~
Sonntag, 11. April 2021	26	6 Erde	Büffel	Feuer		5	10 Annehmen	ungünstig	Schildkröte -	4 Haus ~
Montag, 12. April 2021	27	**7 Metall**	**Tiger**	Holz	SJ	6	11 Öffnen	genügend	Chef +	5 Herz ~
Dienstag, 13. April 2021	28	8 Metall	**Hase**	Holz	SJ	7	12 Abschluss	ungünstig	Haken -	6 Schwanz +
Mittwoch, 14. April 2021	29	9 Wasser	**Drache**	Wasser	SJ/FM	8	1 Beginn	ungünstig	Drache +	7 Korb ~
Donnerstag, 15. April 2021	30	10 Wasser	**Schlange**	Wasser	SM	9	2 Entfernen	sehr ungünstig	Halle +	8 Schaufel ~
Freitag, 16. April 2021	31	1 Holz	**Pferd**	Metall	SM	1	3 Fülle	ungünstig	Dissonanz -	9 Hirte -
Samstag, 17. April 2021	32	2 Holz	**Schaf**	Metall	OJ/SM	2	4 Ausgleich	sehr ungünstig	Phönix -	10 Mädchen ~
Sonntag, 18. April 2021	33	**3 Feuer**	**Affe**	Feuer	WL	3	5 Beständig	günstig	Schrank +	11 Leere -
Montag, 19. April 2021	34	4 Feuer	Hahn	Feuer		4	6 Einleiten	günstig	Licht +	12 Gefahr ~
Dienstag, 20. April 2021	35	5 Erde	**Hund**	Holz	OM/WL	5	7 Auflösung	ungünstig	Tiger -	13 Raum +
Mittwoch, 21. April 2021	36	6 Erde	Schwein	Holz		6	8 Risiko	sehr günstig	Jadehalle +	14 Mauer ~
Donnerstag, 22. April 2021	37	7 Metall	Ratte	Erde		7	9 Erfolg	günstig	Gefängnis -	15 Rittlings ~
Freitag, 23. April 2021	38	8 Metall	**Büffel**	Erde	FJ	8	10 Annehmen	ungünstig	Schildkröte -	16 Hügel +
Samstag, 24. April 2021	39	9 Wasser	**Tiger**	Metall	SJ	9	11 Öffnen	sehr günstig	Chef +	17 Magen ~
Sonntag, 25. April 2021	40	10 Wasser	**Hase**	Metall	SJ	1	12 Abschluss	ungünstig	Haken -	18 Plejaden -
Montag, 26. April 2021	41	1 Holz	**Drache**	Feuer	SJ	2	1 Beginn	sehr ungünstig	Drache +	19 Netz +
Dienstag, 27. April 2021	42	2 Holz	**Schlange**	Feuer	SM	3	2 Entfernen	ungünstig	Halle +	20 Schnabel -
Mittwoch, 28. April 2021	43	**3 Feuer**	**Pferd**	Wasser	SM	4	3 Fülle	genügend	Dissonanz -	21 Orion ~
Donnerstag, 29. April 2021	44	4 Feuer	**Schaf**	Wasser	OJ/SM	5	4 Ausgleich	ungünstig	Phönix -	22 Brunnen ~
Freitag, 30. April 2021	45	5 Erde	Affe	Erde		6	5 Beständig	ungünstig	Schrank +	23 Geist ~
Samstag, 1. Mai 2021	46	6 Erde	Hahn	Erde		7	6 Einleiten	ungünstig	Licht +	24 Weide -
Sonntag, 2. Mai 2021	47	**7 Metall**	**Hund**	Metall	OM	8	7 Auflösung	ungünstig	Tiger -	25 Stern ~
Montag, 3. Mai 2021	48	8 Metall	Schwein	Metall		9	8 Risiko	ungünstig	Jadehalle +	26 Bogen +
Dienstag, 4. Mai 2021	49	9 Wasser	**Ratte**	Holz	EL	1	9 Erfolg	genügend	Gefängnis -	27 Flügel -

Jahr 2021	Binom	Na Yin	XKDG	Familie	Gruppe	7 Sterne Raub	64 Hexagramme
3.2.2021, 15:59 Uhr	38	Erde	1//3, 468	I1+ / I3-	Gruppe 3	Kun/Li	36 Die Verfinsterung des Lichts
3. Monat	**Binom**	**Na Yin**	**XKDG**	**Familie**	**Gruppe**	**7 Sterne Raub**	**64 Hexagramme**
4.4.2021, 14:35 Uhr	29	Wasser	6//4, 123	I1+ / I4-	Gruppe 1	Zhen/Qian	26 Das Ansammeln im Grossen
Tage							
Datum	**Binom**	**Na Yin**	**XKDG**	**Familie**	**Gruppe**	**7 Sterne Raub**	**64 Hexagramme**
Sonntag, 4. April 2021	19	Holz	2//1, 127	D2-	Gruppe 4	Xun/Dui	57 Der Wind
Montag, 5. April 2021	20	Holz	4//8, 469	D3- / D4+	Gruppe 3	Xun/Kan	47 Die Bedrängnis
Dienstag, 6. April 2021	21	Wasser	3//9, 237	I3-	Gruppe 4	Li/Kan	64 Vor der Vollendung
Mittwoch, 7. April 2021	22	Wasser	9//4, 137	I1- / I4+	Gruppe 1	Gen/Qian	33 Der Rückzug
Donnerstag, 8. April 2021	23	Erde	6//1, 123	D4+	Gruppe 1	Gen/Zhen	52 Der Berg
Freitag, 9. April 2021	24	Erde	8//8, 689	D1+ / D2-	Gruppe 2	Kun/Gen	16 Die Begeisterung
Samstag, 10. April 2021	25	Feuer	7//4, 468	I2+ / I3-	Gruppe 4	Kan/Zhen	3 Die Anfangsschwierigkeit
Sonntag, 11. April 2021	26	Feuer	9//2, 127	I1- / I2+	Gruppe 3	Zhen/Qian	25 Die Unschuld
Montag, 12. April 2021	**27**	**Holz**	**3//1, 237** 4//2, 468	**D3-** I3- / I4+	**Gruppe 4** Gruppe 3	**Li** Xun/Li	**30 Das Feuer** 49 Die Umwälzung
Dienstag, 13. April 2021	28	Holz	2//3, 123	I2+ / I4-	Gruppe 2	Dui	61 Die innere Wahrheit
Mittwoch, 14. April 2021	**29**	**Wasser**	6//4, 123	I1+ / I4-	Gruppe 1	Zhen/Qian	26 Das Ansammeln im Grossen
Donnerstag, 15. April 2021	30	Wasser	4//6, 489	D1- / D4+	Gruppe 1	Xun/Qian	43 Der Durchbruch
Freitag, 16. April 2021	**31**	**Metall**	**9//1, 137** 9//8, 137	**D1+** D1- / D2+	**Gruppe 1** Gruppe 3	**Qian** Xun/Qian	**1 Der Himmel** 44 Das Entgegenkommen
Samstag, 17. April 2021	**32**	**Metall**	7//6, 689	D2+ / D3-	Gruppe 4	Xun/Kan	48 Der Brunnen
Sonntag, 18. April 2021	**33**	**Feuer**	8//4, 689	I2- / I3+	Gruppe 4	Gen/Kan	40 Die Befreiung
Montag, 19. April 2021	34	Feuer	4//9, 469	I4-	Gruppe 1	Xun/Gen	31 Die Einwirkung
Dienstag, 20. April 2021	**35**	**Holz**	1//6, 469	D1+ / D4-	Gruppe 1	Kun/Gen	15 Die Bescheidenheit
Mittwoch, 21. April 2021	36	Holz	2//2, 137	I1- / I2+	Gruppe 2	Kun/Dui	20 Die Betrachtung
Donnerstag, 22. April 2021	37	Erde	2//9, 127	I2-	Gruppe 4	Dui/Zhen	42 Die Mehrung
Freitag, 23. April 2021	**38**	**Erde**	1//3, 468	I1+ / I3-	Gruppe 3	Kun/Li	36 Die Verfinsterung des Lichts
Samstag, 24. April 2021	**39**	**Metall**	9//7, 237	D1- / D3+	Gruppe 3	Li/Qian	13 Die Gemeinschaft
Sonntag, 25. April 2021	**40**	**Metall**	8//7, 469	D2- / D4+	Gruppe 2	Dui/Gen	54 Das heiratende Mädchen
Montag, 26. April 2021	**41**	**Feuer**	3//2, 123	I3+ / I4-	Gruppe 2	Li/Dui	38 Der Gegensatz
Dienstag, 27. April 2021	**42**	**Feuer**	7//3, 489	I1+ / I3-	Gruppe 2	Kan/Qian	5 Das Warten
Mittwoch, 28. April 2021	**43**	**Wasser**	4//3, 689	I2- / I4+	Gruppe 3	Xun	28 Des Grossen Übergewicht
Donnerstag, 29. April 2021	**44**	**Wasser**	6//7, 127	D2+ / D4-	Gruppe 3	Xun/Zhen	18 Die Arbeit am Verdorbenen
Freitag, 30. April 2021	45	Erde	2//6, 237	D2+ / D3-	Gruppe 4	Dui/Kan	59 Die Auflösung
Samstag, 1. Mai 2021	46	Erde	3//8, 237	D3+ / D4-	Gruppe 2	Li/Gen	56 Der Wanderer
Sonntag, 2. Mai 2021	**47**	**Metall**	9//9, 137	I1+	Gruppe 1	Kun/Qian	12 Die Stockung
Montag, 3. Mai 2021	48	Metall	7//7, 489	D1+ / D3-	Gruppe 2	Kun/Kan	8 Die Verbundenheit
Dienstag, 4. Mai 2021	**49**	**Holz**	8//1, 689	D2+	Gruppe 4	Gen/Zhen	51 Der Donner

Jahr 2021	Binom	OHS	EZ	Na Yin		Stern			
3.2.2021, 15:59 Uhr	38	8 Metall	Büffel	Erde		6			
4. Monat	**Binom**	**OHS**	**EZ**	**Na Yin**	**Atemzug**	**Stern**			
5.5.2021, 07:48 Uhr	30	10 Wasser	Schlange	Wasser	20.05.2021 20:37	2			
Tage								**Sonne +**	**Mond-**
Datum	**Binom**	**OHS**	**EZ**	**Na Yin**	**Störung**	**Stern**	**12 Regenten**	**Wertigkeit**	**Mond**	**haus**

Datum	Binom	OHS	EZ	Na Yin	Störung	Stern	12 Regenten	Wertigkeit	Mond	haus
Mittwoch, 5. Mai 2021	50	10 Wasser	Büffel	Holz		2	9 Erfolg	sehr ungünstig	Jadehalle +	28 Kutsche ~
Donnerstag, 6. Mai 2021	**51**	**1 Holz**	**Tiger**	Wasser	SJ/SM	3	10 Annehmen	ungünstig	Gefängnis -	1 Horn ~
Freitag, 7. Mai 2021	**52**	**2 Holz**	**Hase**	Wasser	SJ/SM	4	11 Öffnen	günstig	Schildkröte -	2 Hals -
Samstag, 8. Mai 2021	**53**	**3 Feuer**	**Drache**	Erde	SJ/SM	5	12 Abschluss	genügend	Chef +	3 Fundament ~
Sonntag, 9. Mai 2021	54	4 Feuer	Schlange	Erde		6	1 Beginn	ungünstig	Haken -	4 Haus ~
Montag, 10. Mai 2021	55	5 Erde	Pferd	Feuer		7	2 Entfernen	ungünstig	Drache +	5 Herz ~
Dienstag, 11. Mai 2021	**56**	**6 Erde**	**Schaf**	Feuer	OJ	8	3 Fülle	günstig	Halle +	6 Schwanz +
Mittwoch, 12. Mai 2021	57	7 Metall	Affe	Holz		9	4 Ausgleich	sehr ungünstig	Dissonanz -	7 Korb ~
Donnerstag, 13. Mai 2021	58	8 Metall	Hahn	Holz		1	5 Beständig	ungünstig	Phönix -	8 Schaufel ~
Freitag, 14. Mai 2021	59	9 Wasser	Hund	Wasser		2	6 Einleiten	sehr ungünstig	Schrank +	9 Hirte ~
Samstag, 15. Mai 2021	**60**	**10 Wasser**	**Schwein**	Wasser	OM	3	7 Auflösung	sehr ungünstig	Licht +	10 Mädchen ~
Sonntag, 16. Mai 2021	1	1 Holz	Ratte	Metall		4	8 Risiko	ungünstig	Tiger -	11 Leere -
Montag, 17. Mai 2021	2	2 Holz	Büffel	Metall		5	9 Erfolg	ungünstig	Jadehalle +	12 Gefahr ~
Dienstag, 18. Mai 2021	**3**	**3 Feuer**	**Tiger**	Feuer	SJ/SM	6	10 Annehmen	ungünstig	Gefängnis -	13 Raum +
Mittwoch, 19. Mai 2021	**4**	**4 Feuer**	**Hase**	Feuer	SJ/SM	7	11 Öffnen	günstig	Schildkröte -	14 Mauer ~
Donnerstag, 20. Mai 2021	**5**	**5 Erde**	**Drache**	Holz	SJ/SM	8	12 Abschluss	sehr ungünstig	Chef +	15 Rittlings ~
Freitag, 21. Mai 2021	6	6 Erde	Schlange	Holz		9	1 Beginn	ungünstig	Haken -	16 Hügel +
Samstag, 22. Mai 2021	7	7 Metall	Pferd	Erde		1	2 Entfernen	sehr günstig	Drache +	17 Magen ~
Sonntag, 23. Mai 2021	**8**	**8 Metall**	**Schaf**	Erde	OJ	2	3 Fülle	günstig	Halle +	18 Plejaden -
Montag, 24. Mai 2021	9	9 Wasser	Affe	Metall		3	4 Ausgleich	ungünstig	Dissonanz -	19 Netz +
Dienstag, 25. Mai 2021	10	10 Wasser	Hahn	Metall		4	5 Beständig	ungünstig	Phönix -	20 Schnabel -
Mittwoch, 26. Mai 2021	11	1 Holz	Hund	Feuer		5	6 Einleiten	genügend	Schrank +	21 Orion ~
Donnerstag, 27. Mai 2021	**12**	**2 Holz**	**Schwein**	Feuer	OM	6	7 Auflösung	ungünstig	Licht +	22 Brunnen ~
Freitag, 28. Mai 2021	13	3 Feuer	Ratte	Wasser		7	8 Risiko	günstig	Tiger -	23 Geist ~
Samstag, 29. Mai 2021	14	4 Feuer	Büffel	Wasser		8	9 Erfolg	sehr ungünstig	Jadehalle +	24 Weide -
Sonntag, 30. Mai 2021	**15**	**5 Erde**	**Tiger**	Erde	SJ/SM	9	10 Annehmen	ungünstig	Gefängnis -	25 Stern ~
Montag, 31. Mai 2021	**16**	**6 Erde**	**Hase**	Erde	SJ/SM	1	11 Öffnen	sehr günstig	Schildkröte -	26 Bogen +
Dienstag, 1. Juni 2021	**17**	**7 Metall**	**Drache**	Metall	SJ/SM	2	12 Abschluss	genügend	Chef +	27 Flügel -
Mittwoch, 2. Juni 2021	18	8 Metall	Schlange	Metall		3	1 Beginn	ungünstig	Haken -	28 Kutsche ~
Donnerstag, 3. Juni 2021	19	9 Wasser	Pferd	Holz		4	2 Entfernen	sehr günstig	Drache +	1 Horn ~
Freitag, 4. Juni 2021	**20**	**10 Wasser**	**Schaf**	Holz	OJ	5	3 Fülle	ungünstig	Halle +	2 Hals -

Jahr 2021	Binom	Na Yin	XKDG	Familie	Gruppe	7 Sterne Raub	64 Hexagramme
3.2.2021, 15:59 Uhr	38	Erde	1//3, 468	I1+ / I3-	Gruppe 3	Kun/Li	36 Die Verfinsterung des Lichts
4. Monat	**Binom**	**Na Yin**	**XKDG**	**Familie**	**Gruppe**	**7 Sterne Raub**	**64 Hexagramme**
5.5.2021, 07:48 Uhr	30	Wasser	4//6, 489	D1- / D4+	Gruppe 1	Xun/Qian	43 Der Durchbruch
Tage							
Datum	**Binom**	**Na Yin**	**XKDG**	**Familie**	**Gruppe**	**7 Sterne Raub**	**64 Hexagramme**
Mittwoch, 5. Mai 2021	50	Holz	6//8, 123	D3+ / D4-	Gruppe 3	Li/Zhen	22 Die Anmut
Donnerstag, 6. Mai 2021	**51**	Wasser	7//9, 468	**I3+**	Gruppe 4	Li/Kan	63 Nach der Vollendung
Freitag, 7. Mai 2021	**52**	Wasser	1//4, 489	I1+ / I4-	Gruppe 1	Kun/Dui	19 Die Annäherung
Samstag, 8. Mai 2021	**53**	Erde	4//1, 469	**D4-**	Gruppe 1	Xun/Dui	58 Der See
Sonntag, 9. Mai 2021	54	Erde	2//8, 127	D1- / D2+	Gruppe 2	Dui/Qian	9 Das Ansammeln im Kleinen
Montag, 10. Mai 2021	55	Feuer	3//4, 237	I2- / I3+	Gruppe 4	Xun/Li	50 Der Tiegel
Dienstag, 11. Mai 2021	**56**	Feuer	1//2, 689	I1+ / I2-	Gruppe 3	Kun/Xun	46 Das Empordringen
Mittwoch, 12. Mai 2021	57	Holz	**7//1, 468** 6//2, 237	**D3+** I3+ / I4-	**Gruppe 4** Gruppe 3	**Kan** Kan/Zhen	**29 Das Wasser** 4 Die Unerfahrenheit
Donnerstag, 13. Mai 2021	58	Holz	8//3, 469	I2- / I4+	Gruppe 2	Gen	62 Des Kleinen Übergewicht
Freitag, 14. Mai 2021	59	Wasser	4//4, 469	I1- / I4+	Gruppe 1	Kun/Xun	45 Die Sammlung
Samstag, 15. Mai 2021	**60**	Wasser	6//6, 137	D1+ / D4-	Gruppe 1	Kun/Zhen	23 Die Zersplitterung
Sonntag, 16. Mai 2021	1	Metall	**1//1, 489** 1//8, 489	**D1-** D1+ / D2-	**Gruppe 1** Gruppe 3	**Kun** Kun/Zhen	**2 Die Erde** 24 Die Wiederkehr
Montag, 17. Mai 2021	2	Metall	3//6, 127	D2- / D3+	Gruppe 4	Li/Zhen	21 Das Durchbeissen
Dienstag, 18. Mai 2021	**3**	Feuer	2//4, 127	I2+ / I3-	Gruppe 4	Li/Dui	37 Die Familie
Mittwoch, 19. Mai 2021	**4**	Feuer	6//9, 123	**I4+**	Gruppe 1	Dui/Zhen	41 Die Minderung
Donnerstag, 20. Mai 2021	**5**	Holz	9//6, 123	D1- / D4+	Gruppe 1	Dui/Qian	10 Das Auftreten
Freitag, 21. Mai 2021	6	Holz	8//2, 489	I1+ / I2-	Gruppe 2	Gen/Qian	34 Die Kraft des Grossen
Samstag, 22. Mai 2021	7	Erde	8//9, 689	**I2+**	Gruppe 4	Xun/Gen	32 Die Dauer
Sonntag, 23. Mai 2021	**8**	Erde	9//3, 237	I1- / I3+	Gruppe 3	Kan/Qian	6 Der Streit
Montag, 24. Mai 2021	9	Metall	1//7, 468	D1+ / D3-	Gruppe 3	Kun/Kan	7 Das Heer
Dienstag, 25. Mai 2021	10	Metall	2//7, 123	D2+ / D4-	Gruppe 2	Dui/Gen	53 Die Entwicklung
Mittwoch, 26. Mai 2021	11	Feuer	7//2, 469	I3- / I4+	Gruppe 2	Gen/Kan	39 Das Hemmnis
Donnerstag, 27. Mai 2021	**12**	Feuer	3//3, 137	I1- / I3+	Gruppe 2	Kun/Li	35 Der Fortschritt
Freitag, 28. Mai 2021	13	Wasser	6//3, 127	I2+ / I4-	Gruppe 3	Zhen	27 Die Ernährung
Samstag, 29. Mai 2021	14	Wasser	4//7, 689	D2- / D4+	Gruppe 3	Xun/Zhen	17 Das Nachfolgen
Sonntag, 30. Mai 2021	**15**	Erde	8//6, 468	D2- / D3+	Gruppe 4	Li/Gen	55 Die Fülle
Montag, 31. Mai 2021	**16**	Erde	7//8, 468	D3- / D4+	Gruppe 2	Dui/Kan	60 Die massvolle Einteilung
Dienstag, 1. Juni 2021	**17**	Metall	1//9, 489	**I1-**	Gruppe 1	Kun/Qian	11 Der Friede
Mittwoch, 2. Juni 2021	18	Metall	3//7, 137	D1- / D3+	Gruppe 2	Li/Qian	14 Grosser Besitz
Donnerstag, 3. Juni 2021	19	Holz	2//1, 127	**D2-**	Gruppe 4	Xun/Dui	57 Der Wind
Freitag, 4. Juni 2021	**20**	Holz	4//8, 469	D3- / D4+	Gruppe 3	Xun/Kan	47 Die Bedrängnis

Jahr 2021	Binom	OHS	EZ	Na Yin		Stern				
3.2.2021, 15:59 Uhr	38	8 Metall	Büffel	Erde		6				
5. Monat	**Binom**	**OHS**	**EZ**	**Na Yin**	**Atemzug**	**Stern**				
5.6.2021, 11:52 Uhr	31	1 Holz	Pferd	Metall	21.6.2021 04:32	1				
Tage									**Sonne +**	**Mond-**
Datum	**Binom**	**OHS**	**EZ**	**Na Yin**	**Störung**	**Stern**	**12 Regenten**	**Wertigkeit**	**Mond**	**haus**
Samstag, 5. Juni 2021	21	1 Holz	Affe	Wasser		6	3 Fülle	günstig	Drache +	3 Fundament ~
Sonntag, 6. Juni 2021	22	2 Holz	Hahn	Wasser		7	4 Ausgleich	ungünstig	Halle +	4 Haus ~
Montag, 7. Juni 2021	23	3 Feuer	Hund	Erde		8	5 Beständig	ungünstig	Dissonanz -	5 Herz ~
Dienstag, 8. Juni 2021	**24**	**4 Feuer**	**Schwein**	Erde	SM	9	6 Einleiten	genügend	Phönix -	6 Schwanz +
Mittwoch, 9. Juni 2021	**25**	**5 Erde**	**Ratte**	Feuer	OM/SM	1	7 Auflösung	ungünstig	Schrank +	7 Korb ~
Donnerstag, 10. Juni 2021	**26**	**6 Erde**	**Büffel**	Feuer	SM/SF	2	8 Risiko	ungünstig	Licht +	8 Schaufel ~
Freitag, 11. Juni 2021	**27**	**7 Metall**	**Tiger**	Holz	SJ	3	9 Erfolg	sehr günstig	Tiger -	9 Hirte -
Samstag, 12. Juni 2021	**28**	**8 Metall**	**Hase**	Holz	SJ	4	10 Annehmen	ungünstig	Jadehalle +	10 Mädchen ~
Sonntag, 13. Juni 2021	**29**	**9 Wasser**	**Drache**	Wasser	SJ	5	11 Öffnen	sehr günstig	Gefängnis -	11 Leere -
Montag, 14. Juni 2021	30	10 Wasser	Schlange	Wasser		6	12 Abschluss	ungünstig	Schildkröte -	12 Gefahr ~
Dienstag, 15. Juni 2021	**31**	**1 Holz**	**Pferd**	Metall	FM	7	1 Beginn	günstig	Chef +	13 Raum +
Mittwoch, 16. Juni 2021	**32**	**2 Holz**	**Schaf**	Metall	OJ	8	2 Entfernen	sehr ungünstig	Haken -	14 Mauer ~
Donnerstag, 17. Juni 2021	**33**	**3 Feuer**	**Affe**	Feuer	WL	9	3 Fülle	günstig	Drache +	15 Rittlings ~
Freitag, 18. Juni 2021	34	4 Feuer	Hahn	Feuer		1	4 Ausgleich	ungünstig	Halle +	16 Hügel +
Samstag, 19. Juni 2021	**35**	**5 Erde**	**Hund**	Holz	WL	2	5 Beständig	sehr günstig	Dissonanz -	17 Magen ~
Sonntag, 20. Juni 2021	**36**	**6 Erde**	**Schwein**	Holz	SM/SL	3	6 Einleiten	genügend	Phönix -	18 Plejaden -
Montag, 21. Juni 2021	**37**	**7 Metall**	**Ratte**	Erde	OM/SM	4//6	7 Auflösung	ungünstig	Schrank +	19 Netz +
Dienstag, 22. Juni 2021	**38**	**8 Metall**	**Büffel**	Erde	FJ/SM	5	8 Risiko	ungünstig	Licht +	20 Schnabel -
Mittwoch, 23. Juni 2021	**39**	**9 Wasser**	**Tiger**	Metall	SJ	4	9 Erfolg	günstig	Tiger -	21 Orion ~
Donnerstag, 24. Juni 2021	**40**	**10 Wasser**	**Hase**	Metall	SJ	3	10 Annehmen	ungünstig	Jadehalle +	22 Brunnen ~
Freitag, 25. Juni 2021	**41**	**1 Holz**	**Drache**	Feuer	SJ	2	11 Öffnen	ungünstig	Gefängnis -	23 Geist ~
Samstag, 26. Juni 2021	42	2 Holz	Schlange	Feuer		1	12 Abschluss	günstig	Schildkröte -	24 Weide -
Sonntag, 27. Juni 2021	43	3 Feuer	Pferd	Wasser		9	1 Beginn	ungünstig	Chef +	25 Stern ~
Montag, 28. Juni 2021	**44**	**4 Feuer**	**Schaf**	Wasser	OJ	8	2 Entfernen	genügend	Haken -	26 Bogen +
Dienstag, 29. Juni 2021	45	5 Erde	Affe	Erde		7	3 Fülle	günstig	Drache +	27 Flügel -
Mittwoch, 30. Juni 2021	46	6 Erde	Hahn	Erde		6	4 Ausgleich	ungünstig	Halle +	28 Kutsche ~
Donnerstag, 1. Juli 2021	47	7 Metall	Hund	Metall		5	5 Beständig	sehr günstig	Dissonanz -	1 Horn ~
Freitag, 2. Juli 2021	**48**	**8 Metall**	**Schwein**	Metall	SM	4	6 Einleiten	ungünstig	Phönix -	2 Hals -
Samstag, 3. Juli 2021	**49**	**9 Wasser**	**Ratte**	Holz	OM/SM	3	7 Auflösung	sehr ungünstig	Schrank +	3 Fundament ~
Sonntag, 4. Juli 2021	**50**	**10 Wasser**	**Büffel**	Holz	SM	2	8 Risiko	sehr ungünstig	Licht +	4 Haus ~
Montag, 5. Juli 2021	**51**	**1 Holz**	**Tiger**	Wasser	SJ	1	9 Erfolg	sehr günstig	Tiger -	5 Herz ~

Jahr 2021	Binom	Na Yin	XKDG	Familie	Gruppe	7 Sterne Raub	64 Hexagramme
3.2.2021, 15:59 Uhr	38	Erde	1//3, 468	I1+ / I3-	Gruppe 3	Kun/Li	36 Die Verfinsterung des Lichts
5. Monat	**Binom**	**Na Yin**	**XKDG**	**Familie**	**Gruppe**	**7 Sterne Raub**	**64 Hexagramme**
5.6.2021, 11:52 Uhr	31	Metall	9//1, 137 9//8, 137	D1+ D1- / D2+	Gruppe 1 Gruppe 3	Qian Xun/Qian	**1 Der Himmel** 44 Das Entgegenkommen
Tage							
Datum	**Binom**	**Na Yin**	**XKDG**	**Familie**	**Gruppe**	**7 Sterne Raub**	**64 Hexagramme**
Samstag, 5. Juni 2021	21	Wasser	3//9, 237	I3-	Gruppe 4	Li/Kan	64 Vor der Vollendung
Sonntag, 6. Juni 2021	22	Wasser	9//4, 137	I1- / I4+	Gruppe 1	Gen/Qian	33 Der Rückzug
Montag, 7. Juni 2021	23	Erde	6//1, 123	D4+	Gruppe 1	Gen/Zhen	52 Der Berg
Dienstag, 8. Juni 2021	**24**	Erde	8//8, 689	D1+ / D2-	Gruppe 2	Kun/Gen	16 Die Begeisterung
Mittwoch, 9. Juni 2021	**25**	Feuer	7//4, 468	I2+ / I3-	Gruppe 4	Kan/Zhen	3 Die Anfangsschwierigkeit
Donnerstag, 10. Juni 2021	**26**	Feuer	9//2, 127	I1- / I2+	Gruppe 3	Zhen/Qian	25 Die Unschuld
Freitag, 11. Juni 2021	**27**	Holz	**3//1, 237** 4//2, 468	**D3-** I3- / I4+	**Gruppe 4** Gruppe 3	**Li** Xun/Li	**30 Das Feuer** 49 Die Umwälzung
Samstag, 12. Juni 2021	**28**	Holz	2//3, 123	I2+ / I4-	Gruppe 2	Dui	61 Die innere Wahrheit
Sonntag, 13. Juni 2021	**29**	Wasser	6//4, 123	I1+ / I4-	Gruppe 1	Zhen/Qian	26 Das Ansammeln im Grossen
Montag, 14. Juni 2021	30	Wasser	4//6, 489	D1- / D4+	Gruppe 1	Xun/Qian	43 Der Durchbruch
Dienstag, 15. Juni 2021	**31**	Metall	**9//1, 137** 9//8, 137	**D1+** D1- / D2+	**Gruppe 1** Gruppe 3	**Qian** Xun/Qian	**1 Der Himmel** 44 Das Entgegenkommen
Mittwoch, 16. Juni 2021	**32**	Metall	7//6, 689	D2+ / D3-	Gruppe 4	Xun/Kan	48 Der Brunnen
Donnerstag, 17. Juni 2021	**33**	Feuer	8//4, 689	I2- / I3+	Gruppe 4	Gen/Kan	40 Die Befreiung
Freitag, 18. Juni 2021	34	Feuer	4//9, 469	I4-	Gruppe 1	Xun/Gen	31 Die Einwirkung
Samstag, 19. Juni 2021	**35**	Holz	1//6, 469	D1+ / D4-	Gruppe 1	Kun/Gen	15 Die Bescheidenheit
Sonntag, 20. Juni 2021	**36**	Holz	2//2, 137	I1- / I2+	Gruppe 2	Kun/Dui	20 Die Betrachtung
Montag, 21. Juni 2021	**37**	Erde	2//9, 127	I2-	Gruppe 4	Dui/Zhen	42 Die Mehrung
Dienstag, 22. Juni 2021	**38**	Erde	1//3, 468	I1+ / I3-	Gruppe 3	Kun/Li	36 Die Verfinsterung des Lichts
Mittwoch, 23. Juni 2021	**39**	Metall	9//7, 237	D1- / D3+	Gruppe 3	Li/Qian	13 Die Gemeinschaft
Donnerstag, 24. Juni 2021	**40**	Metall	8//7, 469	D2- / D4+	Gruppe 2	Dui/Gen	54 Das heiratende Mädchen
Freitag, 25. Juni 2021	**41**	Feuer	3//2, 123	I3+ / I4-	Gruppe 2	Li/Dui	38 Der Gegensatz
Samstag, 26. Juni 2021	42	Feuer	7//3, 489	I1+ / I3-	Gruppe 2	Kan/Qian	5 Das Warten
Sonntag, 27. Juni 2021	43	Wasser	4//3, 689	I2- / I4+	Gruppe 3	Xun	28 Des Grossen Übergewicht
Montag, 28. Juni 2021	**44**	Wasser	6//7, 127	D2+ / D4-	Gruppe 3	Xun/Zhen	18 Die Arbeit am Verdorbenen
Dienstag, 29. Juni 2021	45	Erde	2//6, 237	D2+ / D3-	Gruppe 4	Dui/Kan	59 Die Auflösung
Mittwoch, 30. Juni 2021	46	Erde	3//8, 237	D3+ / D4-	Gruppe 2	Li/Gen	56 Der Wanderer
Donnerstag, 1. Juli 2021	47	Metall	9//9, 137	I1+	Gruppe 1	Kun/Qian	12 Die Stockung
Freitag, 2. Juli 2021	**48**	Metall	7//7, 489	D1+ / D3-	Gruppe 2	Kun/Kan	8 Die Verbundenheit
Samstag, 3. Juli 2021	**49**	Holz	8//1, 689	D2+	Gruppe 4	Gen/Zhen	51 Der Donner
Sonntag, 4. Juli 2021	**50**	Holz	6//8, 123	D3+ / D4-	Gruppe 3	Li/Zhen	22 Die Anmut
Montag, 5. Juli 2021	**51**	Wasser	7//9, 468	I3+	Gruppe 4	Li/Kan	63 Nach der Vollendung

59

Jahr 2021	Binom	OHS	EZ	Na Yin		Stern				
3.2.2021, 15:59 Uhr	38	8 Metall	Büffel	Erde		6				
6. Monat	Binom	OHS	EZ	Na Yin	Atemzug	Stern				
6.7.2021, 22:06 Uhr	32	2 Holz	Schaf	Metall	22.07.2021 15:27	9				
Tage									Sonne +	Mond-
Datum	Binom	OHS	EZ	Na Yin	Störung	Stern	12 Regenten	Wertigkeit	Mond	haus
Dienstag, 6. Juli 2021	52	2 Holz	Hase	Wasser	SJ	9	9 Erfolg	sehr günstig	Licht +	6 Schwanz +
Mittwoch, 7. Juli 2021	53	3 Feuer	Drache	Erde	SJ	8	10 Annehmen	günstig	Tiger -	7 Korb ~
Donnerstag, 8. Juli 2021	54	4 Feuer	Schlange	Erde		7	11 Öffnen	ungünstig	Jadehalle +	8 Schaufel ~
Freitag, 9. Juli 2021	55	5 Erde	Pferd	Feuer		6	12 Abschluss	ungünstig	Gefängnis -	9 Hirte -
Samstag, 10. Juli 2021	56	6 Erde	Schaf	Feuer	OJ	5	1 Beginn	ungünstig	Schildkröte -	10 Mädchen ~
Sonntag, 11. Juli 2021	57	7 Metall	Affe	Holz	SM	4	2 Entfernen	genügend	Chef +	11 Leere -
Montag, 12. Juli 2021	58	8 Metall	Hahn	Holz	SM	3	3 Fülle	günstig	Haken -	12 Gefahr ~
Dienstag, 13. Juli 2021	59	9 Wasser	Hund	Wasser	SM	2	4 Ausgleich	ungünstig	Drache +	13 Raum +
Mittwoch, 14. Juli 2021	60	10 Wasser	Schwein	Wasser		1	5 Beständig	ungünstig	Halle +	14 Mauer ~
Donnerstag, 15. Juli 2021	1	1 Holz	Ratte	Metall		9	6 Einleiten	genügend	Dissonanz -	15 Rittlings ~
Freitag, 16. Juli 2021	2	2 Holz	Büffel	Metall	OM	8	7 Auflösung	ungünstig	Phönix -	16 Hügel +
Samstag, 17. Juli 2021	3	3 Feuer	Tiger	Feuer	SJ	7	8 Risiko	günstig	Schrank +	17 Magen ~
Sonntag, 18. Juli 2021	4	4 Feuer	Hase	Feuer	SJ	6	9 Erfolg	günstig	Licht +	18 Plejaden -
Montag, 19. Juli 2021	5	5 Erde	Drache	Holz	SJ	5	10 Annehmen	ungünstig	Tiger -	19 Netz +
Dienstag, 20. Juli 2021	6	6 Erde	Schlange	Holz		4	11 Öffnen	ungünstig	Jadehalle +	20 Schnabel -
Mittwoch, 21. Juli 2021	7	7 Metall	Pferd	Erde		3	12 Abschluss	genügend	Gefängnis -	21 Orion ~
Donnerstag, 22. Juli 2021	8	8 Metall	Schaf	Erde	OJ	2	1 Beginn	ungünstig	Schildkröte -	22 Brunnen ~
Freitag, 23. Juli 2021	9	9 Wasser	Affe	Metall	SM	1	2 Entfernen	günstig	Chef +	23 Geist ~
Samstag, 24. Juli 2021	10	10 Wasser	Hahn	Metall	SM	9	3 Fülle	ungünstig	Haken -	24 Weide -
Sonntag, 25. Juli 2021	11	1 Holz	Hund	Feuer	SM	8	4 Ausgleich	günstig	Drache +	25 Stern ~
Montag, 26. Juli 2021	12	2 Holz	Schwein	Feuer		7	5 Beständig	sehr günstig	Halle +	26 Bogen +
Dienstag, 27. Juli 2021	13	3 Feuer	Ratte	Wasser		6	6 Einleiten	sehr günstig	Dissonanz -	27 Flügel -
Mittwoch, 28. Juli 2021	14	4 Feuer	Büffel	Wasser	OM	5	7 Auflösung	sehr ungünstig	Phönix -	28 Kutsche ~
Donnerstag, 29. Juli 2021	15	5 Erde	Tiger	Erde	SJ	4	8 Risiko	günstig	Schrank +	1 Horn ~
Freitag, 30. Juli 2021	16	6 Erde	Hase	Erde	SJ	3	9 Erfolg	günstig	Licht +	2 Hals -
Samstag, 31. Juli 2021	17	7 Metall	Drache	Metall	SJ	2	10 Annehmen	ungünstig	Tiger -	3 Fundament ~
Sonntag, 1. August 2021	18	8 Metall	Schlange	Metall		1	11 Öffnen	ungünstig	Jadehalle +	4 Haus ~
Montag, 2. August 2021	19	9 Wasser	Pferd	Holz		9	12 Abschluss	genügend	Gefängnis -	5 Herz ~
Dienstag, 3. August 2021	20	10 Wasser	Schaf	Holz	OJ	8	1 Beginn	ungünstig	Schildkröte -	6 Schwanz +
Mittwoch, 4. August 2021	21	1 Holz	Affe	Wasser	SM	7	2 Entfernen	günstig	Chef +	7 Korb ~
Donnerstag, 5. August 2021	22	2 Holz	Hahn	Wasser	SM	6	3 Fülle	günstig	Haken -	8 Schaufel ~
Freitag, 6. August 2021	23	3 Feuer	Hund	Erde	SM/EL	5	4 Ausgleich	ungünstig	Drache +	9 Hirte -

Jahr 2021	Binom	Na Yin	XKDG	Familie	Gruppe	7 Sterne Raub	64 Hexagramme
3.2.2021, 15:59 Uhr	38	Erde	1//3, 468	I1+ / I3-	Gruppe 3	Kun/Li	36 Die Verfinsterung des Lichts
6. Monat	**Binom**	**Na Yin**	**XKDG**	**Familie**	**Gruppe**	**7 Sterne Raub**	**64 Hexagramme**
6.7.2021, 22:06 Uhr	32	Metall	7//6, 689	D2+ / D3-	Gruppe 4	Xun/Kan	48 Der Brunnen
Tage							
Datum	**Binom**	**Na Yin**	**XKDG**	**Familie**	**Gruppe**	**7 Sterne Raub**	**64 Hexagramme**
Dienstag, 6. Juli 2021	52	Wasser	1//4, 489	I1+ / I4-	Gruppe 1	Kun/Dui	19 Die Annäherung
Mittwoch, 7. Juli 2021	53	Erde	4//1, 469	**D4-**	Gruppe 1	Xun/Dui	58 Der See
Donnerstag, 8. Juli 2021	54	Erde	2//8, 127	D1- / D2+	Gruppe 2	Dui/Qian	9 Das Ansammeln im Kleinen
Freitag, 9. Juli 2021	55	Feuer	3//4, 237	I2- / I3+	Gruppe 4	Xun/Li	50 Der Tiegel
Samstag, 10. Juli 2021	56	Feuer	1//2, 689	I1+ / I2-	Gruppe 3	Kun/Xun	46 Das Empordringen
Sonntag, 11. Juli 2021	57	Holz	**7//1, 468** 6//2, 237	**D3+** I3+ / I4-	**Gruppe 4** Gruppe 3	**Kan** Kan/Zhen	**29 Das Wasser** 4 Die Unerfahrenheit
Montag, 12. Juli 2021	58	Holz	8//3, 469	I2- / I4+	Gruppe 2	Gen	62 Des Kleinen Übergewicht
Dienstag, 13. Juli 2021	59	Wasser	4//4, 469	I1- / I4+	Gruppe 1	Kun/Xun	45 Die Sammlung
Mittwoch, 14. Juli 2021	60	Wasser	6//6, 137	D1+ / D4-	Gruppe 1	Kun/Zhen	23 Die Zersplitterung
Donnerstag, 15. Juli 2021	1	Metall	**1//1, 489** 1//8, 489	**D1-** D1+ / D2-	**Gruppe 1** Gruppe 3	**Kun** Kun/Zhen	**2 Die Erde** 24 Die Wiederkehr
Freitag, 16. Juli 2021	2	Metall	3//6, 127	D2- / D3+	Gruppe 4	Li/Zhen	21 Das Durchbeissen
Samstag, 17. Juli 2021	3	Feuer	2//4, 127	I2+ / I3-	Gruppe 4	Li/Dui	37 Die Familie
Sonntag, 18. Juli 2021	4	Feuer	6//9, 123	**I4+**	Gruppe 1	Dui/Zhen	41 Die Minderung
Montag, 19. Juli 2021	5	Holz	9//6, 123	D1- / D4+	Gruppe 1	Dui/Qian	10 Das Auftreten
Dienstag, 20. Juli 2021	6	Holz	8//2, 489	I1+ / I2-	Gruppe 2	Gen/Qian	34 Die Kraft des Grossen
Mittwoch, 21. Juli 2021	7	Erde	8//9, 689	**I2+**	Gruppe 4	Xun/Gen	32 Die Dauer
Donnerstag, 22. Juli 2021	8	Erde	9//3, 237	I1- / I3+	Gruppe 3	Kan/Qian	6 Der Streit
Freitag, 23. Juli 2021	9	Metall	1//7, 468	D1+ / D3-	Gruppe 3	Kun/Kan	7 Das Heer
Samstag, 24. Juli 2021	10	Metall	2//7, 123	D2+ / D4-	Gruppe 2	Dui/Gen	53 Die Entwicklung
Sonntag, 25. Juli 2021	11	Feuer	7//2, 469	I3- / I4+	Gruppe 2	Gen/Kan	39 Das Hemmnis
Montag, 26. Juli 2021	12	Feuer	3//3, 137	I1- / I3+	Gruppe 2	Kun/Li	35 Der Fortschritt
Dienstag, 27. Juli 2021	13	Wasser	6//3, 127	I2+ / I4-	Gruppe 3	Zhen	27 Die Ernährung
Mittwoch, 28. Juli 2021	14	Wasser	4//7, 689	D2- / D4+	Gruppe 3	Xun/Zhen	17 Das Nachfolgen
Donnerstag, 29. Juli 2021	15	Erde	8//6, 468	D2- / D3+	Gruppe 4	Li/Gen	55 Die Fülle
Freitag, 30. Juli 2021	16	Erde	7//8, 468	D3- / D4+	Gruppe 2	Dui/Kan	60 Die massvolle Einteilung
Samstag, 31. Juli 2021	17	Metall	1//9, 489	**I1-**	Gruppe 1	Kun/Qian	11 Der Friede
Sonntag, 1. August 2021	18	Metall	3//7, 137	D1- / D3+	Gruppe 2	Li/Qian	14 Grosser Besitz
Montag, 2. August 2021	19	Holz	2//1, 127	**D2-**	Gruppe 4	Xun/Dui	57 Der Wind
Dienstag, 3. August 2021	20	Holz	4//8, 469	D3- / D4+	Gruppe 3	Xun/Kan	47 Die Bedrängnis
Mittwoch, 4. August 2021	21	Wasser	3//9, 237	**I3-**	Gruppe 4	Li/Kan	64 Vor der Vollendung
Donnerstag, 5. August 2021	22	Wasser	9//4, 137	I1- / I4+	Gruppe 1	Gen/Qian	33 Der Rückzug
Freitag, 6. August 2021	23	Erde	6//1, 123	**D4+**	Gruppe 1	Gen/Zhen	52 Der Berg

Jahr 2021	Binom	OHS	EZ	Na Yin		Stern				
3.2.2021, 15:59 Uhr	38	8 Metall	Büffel	Erde		6				
7. Monat	Binom	OHS	EZ	Na Yin	Atemzug	Stern				
7.8.2021, 07:53 Uhr	33	3 Feuer	Affe	Feuer	22.08.2021 22:35	8				
Tage									Sonne +	Mond-
Datum	Binom	OHS	EZ	Na Yin	Störung	Stern	12 Regenten	Wertigkeit	Mond	haus
Samstag, 7. August 2021	24	4 Feuer	Schwein	Erde		4	4 Ausgleich	ungünstig	Haken -	10 Mädchen ~
Sonntag, 8. August 2021	25	5 Erde	Ratte	Feuer		3	5 Beständig	günstig	Drache +	11 Leere -
Montag, 9. August 2021	26	6 Erde	Büffel	Feuer		2	6 Einleiten	ungünstig	Halle +	12 Gefahr ~
Dienstag, 10. August 2021	27	**7 Metall**	**Tiger**	Holz	SJ/OM	1	7 Auflösung	ungünstig	Dissonanz -	13 Raum +
Mittwoch, 11. August 2021	28	**8 Metall**	**Hase**	Holz	SJ	9	8 Risiko	günstig	Phönix -	14 Mauer ~
Donnerstag, 12. August 2021	29	**9 Wasser**	**Drache**	Wasser	SJ	8	9 Erfolg	sehr günstig	Schrank +	15 Rittlings ~
Freitag, 13. August 2021	30	**10 Wasser**	**Schlange**	Wasser	SM	7	10 Annehmen	ungünstig	Licht +	16 Hügel +
Samstag, 14. August 2021	31	**1 Holz**	**Pferd**	Metall	SM	6	11 Öffnen	günstig	Tiger -	17 Magen ~
Sonntag, 15. August 2021	32	**2 Holz**	**Schaf**	Metall	OJ/SM	5	12 Abschluss	ungünstig	Jadehalle +	18 Plejaden -
Montag, 16. August 2021	33	**3 Feuer**	**Affe**	Feuer	FM/WL	4	1 Beginn	ungünstig	Gefängnis -	19 Netz +
Dienstag, 17. August 2021	34	4 Feuer	Hahn	Feuer		3	2 Entfernen	ungünstig	Schildkröte -	20 Schnabel -
Mittwoch, 18. August 2021	35	**5 Erde**	**Hund**	Holz	WL	2	3 Fülle	ungünstig	Chef +	21 Orion ~
Donnerstag, 19. August 2021	36	6 Erde	Schwein	Holz		1	4 Ausgleich	ungünstig	Haken -	22 Brunnen ~
Freitag, 20. August 2021	37	7 Metall	Ratte	Erde		9	5 Beständig	günstig	Drache +	23 Geist ~
Samstag, 21. August 2021	38	**8 Metall**	**Büffel**	Erde	FJ	8	6 Einleiten	ungünstig	Halle +	24 Weide -
Sonntag, 22. August 2021	39	**9 Wasser**	**Tiger**	Metall	SJ/OM	7	7 Auflösung	günstig	Dissonanz -	25 Stern ~
Montag, 23. August 2021	40	**10 Wasser**	**Hase**	Metall	SJ	6	8 Risiko	sehr günstig	Phönix -	26 Bogen +
Dienstag, 24. August 2021	41	**1 Holz**	**Drache**	Feuer	SJ	5	9 Erfolg	ungünstig	Schrank +	27 Flügel -
Mittwoch, 25. August 2021	42	**2 Holz**	**Schlange**	Feuer	SM	4	10 Annehmen	ungünstig	Licht +	28 Kutsche ~
Donnerstag, 26. August 2021	43	**3 Feuer**	**Pferd**	Wasser	SM	3	11 Öffnen	sehr günstig	Tiger -	1 Horn ~
Freitag, 27. August 2021	44	**4 Feuer**	**Schaf**	Wasser	OJ/SM	2	12 Abschluss	günstig	Jadehalle +	2 Hals -
Samstag, 28. August 2021	45	5 Erde	Affe	Erde		1	1 Beginn	sehr günstig	Gefängnis -	3 Fundament ~
Sonntag, 29. August 2021	46	6 Erde	Hahn	Erde		9	2 Entfernen	ungünstig	Schildkröte -	4 Haus ~
Montag, 30. August 2021	47	7 Metall	Hund	Metall		8	3 Fülle	ungünstig	Chef +	5 Herz ~
Dienstag, 31. August 2021	48	8 Metall	Schwein	Metall		7	4 Ausgleich	ungünstig	Haken -	6 Schwanz +
Mittwoch, 1. September 2021	49	9 Wasser	Ratte	Holz		6	5 Beständig	ungünstig	Drache +	7 Korb ~
Donnerstag, 2. September 2021	50	10 Wasser	Büffel	Holz		5	6 Einleiten	sehr ungünstig	Halle +	8 Schaufel ~
Freitag, 3. September 2021	51	**1 Holz**	**Tiger**	Wasser	SJ/OM	4	7 Auflösung	sehr ungünstig	Dissonanz -	9 Hirte -
Samstag, 4. September 2021	52	**2 Holz**	**Hase**	Wasser	SJ	3	8 Risiko	sehr ungünstig	Phönix -	10 Mädchen ~
Sonntag, 5. September 2021	53	**3 Feuer**	**Drache**	Erde	SJ	2	9 Erfolg	günstig	Schrank +	11 Leere -
Montag, 6. September 2021	54	**4 Feuer**	**Schlange**	Erde	SM	1	10 Annehmen	ungünstig	Licht +	12 Gefahr ~

Jahr 2021	Binom	Na Yin	XKDG	Familie	Gruppe	7 Sterne Raub	64 Hexagramme
3.2.2021, 15:59 Uhr	38	Erde	1//3, 468	I1+ / I3-	Gruppe 3	Kun/Li	36 Die Verfinsterung des Lichts
7. Monat	**Binom**	**Na Yin**	**XKDG**	**Familie**	**Gruppe**	**7 Sterne Raub**	**64 Hexagramme**
7.8.2021, 07:53 Uhr	33	Feuer	8//4, 689	I2- / I3+	Gruppe 4	Gen/Kan	40 Die Befreiung
Tage							
Datum	**Binom**	**Na Yin**	**XKDG**	**Familie**	**Gruppe**	**7 Sterne Raub**	**64 Hexagramme**
Samstag, 7. August 2021	24	Erde	8//8, 689	D1+ / D2-	Gruppe 2	Kun/Gen	16 Die Begeisterung
Sonntag, 8. August 2021	25	Feuer	7//4, 468	I2+ / I3-	Gruppe 4	Kan/Zhen	3 Die Anfangsschwierigkeit
Montag, 9. August 2021	26	Feuer	9//2, 127	I1- / I2+	Gruppe 3	Zhen/Qian	25 Die Unschuld
Dienstag, 10. August 2021	**27**	**Holz**	**3//1, 237** / 4//2, 468	**D3-** / I3- / I4+	**Gruppe 4** / Gruppe 3	**Li** / Xun/Li	**30 Das Feuer** / 49 Die Umwälzung
Mittwoch, 11. August 2021	**28**	Holz	2//3, 123	I2+ / I4-	Gruppe 2	Dui	61 Die innere Wahrheit
Donnerstag, 12. August 2021	**29**	Wasser	6//4, 123	I1+ / I4-	Gruppe 1	Zhen/Qian	26 Das Ansammeln im Grossen
Freitag, 13. August 2021	**30**	Wasser	4//6, 489	D1- / D4+	Gruppe 1	Xun/Qian	43 Der Durchbruch
Samstag, 14. August 2021	**31**	Metall	**9//1, 137** / 9//8, 137	**D1+** / D1- / D2+	**Gruppe 1** / Gruppe 3	**Qian** / Xun/Qian	**1 Der Himmel** / 44 Das Entgegenkommen
Sonntag, 15. August 2021	**32**	Metall	7//6, 689	D2+ / D3-	Gruppe 4	Xun/Kan	48 Der Brunnen
Montag, 16. August 2021	**33**	Feuer	8//4, 689	I2- / I3+	Gruppe 4	Gen/Kan	40 Die Befreiung
Dienstag, 17. August 2021	34	Feuer	4//9, 469	I4-	Gruppe 1	Xun/Gen	31 Die Einwirkung
Mittwoch, 18. August 2021	**35**	Holz	1//6, 469	D1+ / D4-	Gruppe 1	Kun/Gen	15 Die Bescheidenheit
Donnerstag, 19. August 2021	36	Holz	2//2, 137	I1- / I2+	Gruppe 2	Kun/Dui	20 Die Betrachtung
Freitag, 20. August 2021	37	Erde	2//9, 127	I2-	Gruppe 4	Dui/Zhen	42 Die Mehrung
Samstag, 21. August 2021	**38**	Erde	1//3, 468	I1+ / I3-	Gruppe 3	Kun/Li	36 Die Verfinsterung des Lichts
Sonntag, 22. August 2021	**39**	Metall	9//7, 237	D1- / D3+	Gruppe 3	Li/Qian	13 Die Gemeinschaft
Montag, 23. August 2021	**40**	Metall	8//7, 469	D2- / D4+	Gruppe 2	Dui/Gen	54 Das heiratende Mädchen
Dienstag, 24. August 2021	**41**	Feuer	3//2, 123	I3+ / I4-	Gruppe 2	Li/Dui	38 Der Gegensatz
Mittwoch, 25. August 2021	**42**	Feuer	7//3, 489	I1+ / I3-	Gruppe 2	Kan/Qian	5 Das Warten
Donnerstag, 26. August 2021	**43**	Wasser	4//3, 689	I2- / I4+	Gruppe 3	Xun	28 Des Grossen Übergewicht
Freitag, 27. August 2021	**44**	Wasser	6//7, 127	D2+ / D4-	Gruppe 3	Xun/Zhen	18 Die Arbeit am Verdorbenen
Samstag, 28. August 2021	45	Erde	2//6, 237	D2+ / D3-	Gruppe 4	Dui/Kan	59 Die Auflösung
Sonntag, 29. August 2021	46	Erde	3//8, 237	D3+ / D4-	Gruppe 2	Li/Gen	56 Der Wanderer
Montag, 30. August 2021	47	Metall	9//9, 137	I1+	Gruppe 1	Kun/Qian	12 Die Stockung
Dienstag, 31. August 2021	48	Metall	7//7, 489	D1+ / D3-	Gruppe 2	Kun/Kan	8 Die Verbundenheit
Mittwoch, 1. September 2021	49	Holz	8//1, 689	D2+	Gruppe 4	Gen/Zhen	51 Der Donner
Donnerstag, 2. September 2021	50	Holz	6//8, 123	D3+ / D4-	Gruppe 3	Li/Zhen	22 Die Anmut
Freitag, 3. September 2021	**51**	Wasser	7//9, 468	I3+	Gruppe 4	Li/Kan	63 Nach der Vollendung
Samstag, 4. September 2021	**52**	Wasser	1//4, 489	I1+ / I4-	Gruppe 1	Kun/Dui	19 Die Annäherung
Sonntag, 5. September 2021	**53**	Erde	4//1, 469	D4-	Gruppe 1	Xun/Dui	58 Der See
Montag, 6. September 2021	**54**	Erde	2//8, 127	D1- / D2+	Gruppe 2	Dui/Qian	9 Das Ansammeln im Kleinen

Jahr 2021	Binom	OHS	EZ	Na Yin		Stern				
3.2.2021, 15:59 Uhr	38	8 Metall	Büffel	Erde		6				
8. Monat	Binom	OHS	EZ	Na Yin	Atemzug	Stern				
7.9.2021, 10:53 Uhr	34	4 Feuer	Hahn	Feuer	22.09.2021 20:21	7				

Tage									Sonne +	Mond-
Datum	Binom	OHS	EZ	Na Yin	Störung	Stern	12 Regenten	Wertigkeit	Mond	haus
Dienstag, 7. September 2021	55	5 Erde	Pferd	Feuer		9	10 Annehmen	günstig	Schrank +	13 Raum +
Mittwoch, 8. September 2021	**56**	**6 Erde**	**Schaf**	Feuer	OJ	8	11 Öffnen	günstig	Licht +	14 Mauer ~
Donnerstag, 9. September 2021	57	7 Metall	Affe	Holz		7	12 Abschluss	sehr günstig	Tiger -	15 Rittlings ~
Freitag, 10. September 2021	58	8 Metall	Hahn	Holz		6	1 Beginn	ungünstig	Jadehalle +	16 Hügel +
Samstag, 11. September 2021	59	9 Wasser	Hund	Wasser		5	2 Entfernen	ungünstig	Gefängnis -	17 Magen ~
Sonntag, 12. September 2021	60	10 Wasser	Schwein	Wasser		4	3 Fülle	sehr ungünstig	Schildkröte -	18 Plejaden -
Montag, 13. September 2021	1	1 Holz	Ratte	Metall		3	4 Ausgleich	ungünstig	Chef +	19 Netz +
Dienstag, 14. September 2021	2	2 Holz	Büffel	Metall		2	5 Beständig	genügend	Haken -	20 Schnabel -
Mittwoch, 15. September 2021	**3**	**3 Feuer**	**Tiger**	Feuer	SJ/SM	1	6 Einleiten	günstig	Drache +	21 Orion ~
Donnerstag, 16. September 2021	**4**	**4 Feuer**	**Hase**	Feuer	SJ/OM/SM	9	7 Auflösung	ungünstig	Halle +	22 Brunnen ~
Freitag, 17. September 2021	**5**	**5 Erde**	**Drache**	Holz	SJ/SM	8	8 Risiko	ungünstig	Dissonanz -	23 Geist ~
Samstag, 18. September 2021	6	6 Erde	Schlange	Holz		7	9 Erfolg	sehr günstig	Phönix -	24 Weide -
Sonntag, 19. September 2021	7	7 Metall	Pferd	Erde		6	10 Annehmen	ungünstig	Schrank +	25 Stern ~
Montag, 20. September 2021	**8**	**8 Metall**	**Schaf**	Erde	OJ	5	11 Öffnen	günstig	Licht +	26 Bogen +
Dienstag, 21. September 2021	**9**	**9 Wasser**	**Affe**	Metall	SL	4	12 Abschluss	günstig	Tiger -	27 Flügel -
Mittwoch, 22. September 2021	10	10 Wasser	Hahn	Metall		3	1 Beginn	ungünstig	Jadehalle +	28 Kutsche ~
Donnerstag, 23. September 2021	11	1 Holz	Hund	Feuer		2	2 Entfernen	günstig	Gefängnis -	1 Horn ~
Freitag, 24. September 2021	12	2 Holz	Schwein	Feuer		1	3 Fülle	sehr günstig	Schildkröte -	2 Hals -
Samstag, 25. September 2021	13	3 Feuer	Ratte	Wasser		9	4 Ausgleich	günstig	Chef +	3 Fundament ~
Sonntag, 26. September 2021	14	4 Feuer	Büffel	Wasser		8	5 Beständig	genügend	Haken -	4 Haus ~
Montag, 27. September 2021	**15**	**5 Erde**	**Tiger**	Erde	SJ/SM	7	6 Einleiten	günstig	Drache +	5 Herz ~
Dienstag, 28. September 2021	**16**	**6 Erde**	**Hase**	Erde	SJ/OM/SM	6	7 Auflösung	genügend	Halle +	6 Schwanz +
Mittwoch, 29. September 2021	**17**	**7 Metall**	**Drache**	Metall	SJ/SM	5	8 Risiko	ungünstig	Dissonanz -	7 Korb ~
Donnerstag, 30. September 2021	18	8 Metall	Schlange	Metall		4	9 Erfolg	ungünstig	Phönix -	8 Schaufel ~
Freitag, 1. Oktober 2021	19	9 Wasser	Pferd	Holz		3	10 Annehmen	sehr günstig	Schrank +	9 Hirte ~
Samstag, 2. Oktober 2021	**20**	**10 Wasser**	**Schaf**	Holz	OJ	2	11 Öffnen	günstig	Licht +	10 Mädchen ~
Sonntag, 3. Oktober 2021	21	1 Holz	Affe	Wasser		1	12 Abschluss	günstig	Tiger -	11 Leere -
Montag, 4. Oktober 2021	22	2 Holz	Hahn	Wasser		9	1 Beginn	ungünstig	Jadehalle +	12 Gefahr ~
Dienstag, 5. Oktober 2021	23	3 Feuer	Hund	Erde		8	2 Entfernen	ungünstig	Gefängnis -	13 Raum +
Mittwoch, 6. Oktober 2021	24	4 Feuer	Schwein	Erde		7	3 Fülle	sehr günstig	Schildkröte -	14 Mauer ~
Donnerstag, 7. Oktober 2021	25	5 Erde	Ratte	Feuer		6	4 Ausgleich	günstig	Chef +	15 Rittlings ~

Jahr 2021	Binom	Na Yin	XKDG	Familie	Gruppe	7 Sterne Raub	64 Hexagramme
3.2.2021, 15:59 Uhr	38	Erde	1//3, 468	I1+ / I3-	Gruppe 3	Kun/Li	36 Die Verfinsterung des Lichts
8. Monat	**Binom**	**Na Yin**	**XKDG**	**Familie**	**Gruppe**	**7 Sterne Raub**	**64 Hexagramme**
7.9.2021, 10:53 Uhr	34	Feuer	4//9, 469	I4-	Gruppe 1	Xun/Gen	31 Die Einwirkung
Tage							
Datum	**Binom**	**Na Yin**	**XKDG**	**Familie**	**Gruppe**	**7 Sterne Raub**	**64 Hexagramme**
Dienstag, 7. September 2021	55	Feuer	3//4, 237	I2- / I3+	Gruppe 4	Xun/Li	50 Der Tiegel
Mittwoch, 8. September 2021	**56**	Feuer	1//2, 689	I1+ / I2-	Gruppe 3	Kun/Xun	46 Das Empordringen
Donnerstag, 9. September 2021	57	Holz	**7//1, 468** 6//2, 237	**D3+** I3+ / I4-	**Gruppe 4** Gruppe 3	**Kan** Kan/Zhen	**29 Das Wasser** 4 Die Unerfahrenheit
Freitag, 10. September 2021	58	Holz	8//3, 469	I2- / I4+	Gruppe 2	Gen	62 Des Kleinen Übergewicht
Samstag, 11. September 2021	59	Wasser	4//4, 469	I1- / I4+	Gruppe 1	Kun/Xun	45 Die Sammlung
Sonntag, 12. September 2021	60	Wasser	6//6, 137	D1+ / D4-	Gruppe 1	Kun/Zhen	23 Die Zersplitterung
Montag, 13. September 2021	1	Metall	**1//1, 489** 1//8, 489	**D1-** D1+ / D2-	**Gruppe 1** Gruppe 3	**Kun** Kun/Zhen	**2 Die Erde** 24 Die Wiederkehr
Dienstag, 14. September 2021	2	Metall	3//6, 127	D2- / D3+	Gruppe 4	Li/Zhen	21 Das Durchbeissen
Mittwoch, 15. September 2021	**3**	Feuer	2//4, 127	I2+ / I3-	Gruppe 4	Li/Dui	37 Die Familie
Donnerstag, 16. September 2021	**4**	Feuer	6//9, 123	I4+	Gruppe 1	Dui/Zhen	41 Die Minderung
Freitag, 17. September 2021	**5**	Holz	9//6, 123	D1- / D4+	Gruppe 1	Dui/Qian	10 Das Auftreten
Samstag, 18. September 2021	6	Holz	8//2, 489	I1+ / I2-	Gruppe 2	Gen/Qian	34 Die Kraft des Grossen
Sonntag, 19. September 2021	7	Erde	8//9, 689	I2+	Gruppe 4	Xun/Gen	32 Die Dauer
Montag, 20. September 2021	**8**	Erde	9//3, 237	I1- / I3+	Gruppe 3	Kan/Qian	6 Der Streit
Dienstag, 21. September 2021	**9**	Metall	1//7, 468	D1+ / D3-	Gruppe 3	Kun/Kan	7 Das Heer
Mittwoch, 22. September 2021	10	Metall	2//7, 123	D2+ / D4-	Gruppe 2	Dui/Gen	53 Die Entwicklung
Donnerstag, 23. September 2021	11	Feuer	7//2, 469	I3- / I4+	Gruppe 2	Gen/Kan	39 Das Hemmnis
Freitag, 24. September 2021	12	Feuer	3//3, 137	I1- / I3+	Gruppe 2	Kun/Li	35 Der Fortschritt
Samstag, 25. September 2021	13	Wasser	6//3, 127	I2+ / I4-	Gruppe 3	Zhen	27 Die Ernährung
Sonntag, 26. September 2021	14	Wasser	4//7, 689	D2- / D4+	Gruppe 3	Xun/Zhen	17 Das Nachfolgen
Montag, 27. September 2021	**15**	Erde	8//6, 468	D2- / D3+	Gruppe 4	Li/Gen	55 Die Fülle
Dienstag, 28. September 2021	**16**	Erde	7//8, 468	D3- / D4+	Gruppe 2	Dui/Kan	60 Die massvolle Einteilung
Mittwoch, 29. September 2021	**17**	Metall	1//9, 489	I1-	Gruppe 1	Kun/Qian	11 Der Friede
Donnerstag, 30. September 2021	18	Metall	3//7, 137	D1- / D3+	Gruppe 2	Li/Qian	14 Grosser Besitz
Freitag, 1. Oktober 2021	19	Holz	2//1, 127	D2-	Gruppe 4	Xun/Dui	57 Der Wind
Samstag, 2. Oktober 2021	**20**	Holz	4//8, 469	D3- / D4+	Gruppe 3	Xun/Kan	47 Die Bedrängnis
Sonntag, 3. Oktober 2021	21	Wasser	3//9, 237	I3-	Gruppe 4	Li/Kan	64 Vor der Vollendung
Montag, 4. Oktober 2021	22	Wasser	9//4, 137	I1- / I4+	Gruppe 1	Gen/Qian	33 Der Rückzug
Dienstag, 5. Oktober 2021	23	Erde	6//1, 123	D4+	Gruppe 1	Gen/Zhen	52 Der Berg
Mittwoch, 6. Oktober 2021	24	Erde	8//8, 689	D1+ / D2-	Gruppe 2	Kun/Gen	16 Die Begeisterung
Donnerstag, 7. Oktober 2021	25	Feuer	7//4, 468	I2+ / I3-	Gruppe 4	Kan/Zhen	3 Die Anfangsschwierigkeit

Jahr 2021	Binom	OHS	EZ	Na Yin		Stern					
3.2.2021, 15:59 Uhr	38	8 Metall	Büffel	Erde		6					
9. Monat	Binom	OHS	EZ	Na Yin	Atemzug	Stern					
8.10.2021, 02:39 Uhr	35	5 Erde	Hund	Holz	23.10.2021 05:51	6					

Tage										Sonne +	Mond-
Datum	Binom	OHS	EZ	Na Yin	Störung	Stern	12 Regenten	Wertigkeit		Mond	haus
Freitag, 8. Oktober 2021	26	6 Erde	Büffel	Feuer	SM	5	4 Ausgleich	ungünstig		Schildkröte -	16 Hügel +
Samstag, 9. Oktober 2021	27	7 Metall	Tiger	Holz	SJ	4	5 Beständig	sehr günstig		Chef +	17 Magen ~
Sonntag, 10. Oktober 2021	28	8 Metall	Hase	Holz	SJ	3	6 Einleiten	sehr günstig		Haken -	18 Plejaden -
Montag, 11. Oktober 2021	29	9 Wasser	Drache	Wasser	SJ/OM	2	7 Auflösung	ungünstig		Drache +	19 Netz +
Dienstag, 12. Oktober 2021	30	10 Wasser	Schlange	Wasser		1	8 Risiko	genügend		Halle +	20 Schnabel -
Mittwoch, 13. Oktober 2021	31	1 Holz	Pferd	Metall		9	9 Erfolg	günstig		Dissonanz -	21 Orion ~
Donnerstag, 14. Oktober 2021	32	2 Holz	Schaf	Metall	OJ	8	10 Annehmen	ungünstig		Phönix -	22 Brunnen ~
Freitag, 15. Oktober 2021	33	3 Feuer	Affe	Feuer	WL	7	11 Öffnen	günstig		Schrank +	23 Geist ~
Samstag, 16. Oktober 2021	34	4 Feuer	Hahn	Feuer		6	12 Abschluss	ungünstig		Licht +	24 Weide -
Sonntag, 17. Oktober 2021	35	5 Erde	Hund	Holz	FM/WL	5	1 Beginn	ungünstig		Tiger -	25 Stern ~
Montag, 18. Oktober 2021	36	6 Erde	Schwein	Holz	SM	4	2 Entfernen	günstig		Jadehalle +	26 Bogen +
Dienstag, 19. Oktober 2021	37	7 Metall	Ratte	Erde	SM	3	3 Fülle	ungünstig		Gefängnis -	27 Flügel -
Mittwoch, 20. Oktober 2021	38	8 Metall	Büffel	Erde	FJ/SM	2	4 Ausgleich	ungünstig		Schildkröte -	28 Kutsche ~
Donnerstag, 21. Oktober 2021	39	9 Wasser	Tiger	Metall	SJ	1	5 Beständig	ungünstig		Chef +	1 Horn ~
Freitag, 22. Oktober 2021	40	10 Wasser	Hase	Metall	SJ	9	6 Einleiten	günstig		Haken -	2 Hals -
Samstag, 23. Oktober 2021	41	1 Holz	Drache	Feuer	SJ/OM	8	7 Auflösung	sehr ungünstig		Drache +	3 Fundament ~
Sonntag, 24. Oktober 2021	42	2 Holz	Schlange	Feuer		7	8 Risiko	sehr günstig		Halle +	4 Haus ~
Montag, 25. Oktober 2021	43	3 Feuer	Pferd	Wasser		6	9 Erfolg	sehr günstig		Dissonanz -	5 Herz ~
Dienstag, 26. Oktober 2021	44	4 Feuer	Schaf	Wasser	OJ	5	10 Annehmen	ungünstig		Phönix -	6 Schwanz +
Mittwoch, 27. Oktober 2021	45	5 Erde	Affe	Erde		4	11 Öffnen	sehr günstig		Schrank +	7 Korb ~
Donnerstag, 28. Oktober 2021	46	6 Erde	Hahn	Erde		3	12 Abschluss	ungünstig		Licht +	8 Schaufel ~
Freitag, 29. Oktober 2021	47	7 Metall	Hund	Metall		2	1 Beginn	ungünstig		Tiger -	9 Hirte ~
Samstag, 30. Oktober 2021	48	8 Metall	Schwein	Metall	SM	1	2 Entfernen	sehr ungünstig		Jadehalle +	10 Mädchen ~
Sonntag, 31. Oktober 2021	49	9 Wasser	Ratte	Holz	SM	9	3 Fülle	ungünstig		Gefängnis -	11 Leere -
Montag, 1. November 2021	50	10 Wasser	Büffel	Holz	SM	8	4 Ausgleich	sehr ungünstig		Schildkröte -	12 Gefahr ~
Dienstag, 2. November 2021	51	1 Holz	Tiger	Wasser	SJ	7	5 Beständig	ungünstig		Chef +	13 Raum +
Mittwoch, 3. November 2021	52	2 Holz	Hase	Wasser	SJ	6	6 Einleiten	sehr ungünstig		Haken -	14 Mauer ~
Donnerstag, 4. November 2021	53	3 Feuer	Drache	Erde	SJ/OM	5	7 Auflösung	genügend		Drache +	15 Rittlings ~
Freitag, 5. November 2021	54	4 Feuer	Schlange	Erde		4	8 Risiko	genügend		Halle +	16 Hügel +
Samstag, 6. November 2021	55	5 Erde	Pferd	Feuer	EL	3	9 Erfolg	günstig		Dissonanz -	17 Magen ~

Jahr 2021	Binom	Na Yin	XKDG	Familie	Gruppe	7 Sterne Raub	64 Hexagramme
3.2.2021, 15:59 Uhr	38	Erde	1//3, 468	I1+ / I3-	Gruppe 3	Kun/Li	36 Die Verfinsterung des Lichts
9. Monat	**Binom**	**Na Yin**	**XKDG**	**Familie**	**Gruppe**	**7 Sterne Raub**	**64 Hexagramme**
8.10.2021, 02:39 Uhr	35	Holz	1//6, 469	D1+ / D4-	Gruppe 1	Kun/Gen	15 Die Bescheidenheit
Tage							
Datum	**Binom**	**Na Yin**	**XKDG**	**Familie**	**Gruppe**	**7 Sterne Raub**	**64 Hexagramme**
Freitag, 8. Oktober 2021	26	Feuer	9//2, 127	I1- / I2+	Gruppe 3	Zhen/Qian	25 Die Unschuld
Samstag, 9. Oktober 2021	27	Holz	**3//1, 237** 4//2, 468	**D3-** I3- / I4+	**Gruppe 4** Gruppe 3	**Li** Xun/Li	**30 Das Feuer** 49 Die Umwälzung
Sonntag, 10. Oktober 2021	28	Holz	2//3, 123	I2+ / I4-	Gruppe 2	Dui	61 Die innere Wahrheit
Montag, 11. Oktober 2021	29	Wasser	6//4, 123	I1+ / I4-	Gruppe 1	Zhen/Qian	26 Das Ansammeln im Grossen
Dienstag, 12. Oktober 2021	30	Wasser	4//6, 489	D1- / D4+	Gruppe 1	Xun/Qian	43 Der Durchbruch
Mittwoch, 13. Oktober 2021	31	Metall	**9//1, 137** 9//8, 137	**D1+** D1- / D2+	**Gruppe 1** Gruppe 3	**Qian** Xun/Qian	**1 Der Himmel** 44 Das Entgegenkommen
Donnerstag, 14. Oktober 2021	32	Metall	7//6, 689	D2+ / D3-	Gruppe 4	Xun/Kan	48 Der Brunnen
Freitag, 15. Oktober 2021	33	Feuer	8//4, 689	I2- / I3+	Gruppe 4	Gen/Kan	40 Die Befreiung
Samstag, 16. Oktober 2021	34	Feuer	4//9, 469	I4-	Gruppe 1	Xun/Gen	31 Die Einwirkung
Sonntag, 17. Oktober 2021	35	Holz	1//6, 469	D1+ / D4-	Gruppe 1	Kun/Gen	15 Die Bescheidenheit
Montag, 18. Oktober 2021	36	Holz	2//2, 137	I1- / I2+	Gruppe 2	Kun/Dui	20 Die Betrachtung
Dienstag, 19. Oktober 2021	37	Erde	2//9, 127	I2-	Gruppe 4	Dui/Zhen	42 Die Mehrung
Mittwoch, 20. Oktober 2021	38	Erde	1//3, 468	I1+ / I3-	Gruppe 3	Kun/Li	36 Die Verfinsterung des Lichts
Donnerstag, 21. Oktober 2021	39	Metall	9//7, 237	D1- / D3+	Gruppe 3	Li/Qian	13 Die Gemeinschaft
Freitag, 22. Oktober 2021	40	Metall	8//7, 469	D2- / D4+	Gruppe 2	Dui/Gen	54 Das heiratende Mädchen
Samstag, 23. Oktober 2021	41	Feuer	3//2, 123	I3+ / I4-	Gruppe 2	Li/Dui	38 Der Gegensatz
Sonntag, 24. Oktober 2021	42	Feuer	7//3, 489	I1+ / I3-	Gruppe 2	Kan/Qian	5 Das Warten
Montag, 25. Oktober 2021	43	Wasser	4//3, 689	I2- / I4+	Gruppe 3	Xun	28 Des Grossen Übergewicht
Dienstag, 26. Oktober 2021	44	Wasser	6//7, 127	D2+ / D4-	Gruppe 3	Xun/Zhen	18 Die Arbeit am Verdorbenen
Mittwoch, 27. Oktober 2021	45	Erde	2//6, 237	D2+ / D3-	Gruppe 4	Dui/Kan	59 Die Auflösung
Donnerstag, 28. Oktober 2021	46	Erde	3//8, 237	D3+ / D4-	Gruppe 2	Li/Gen	56 Der Wanderer
Freitag, 29. Oktober 2021	47	Metall	9//9, 137	I1+	Gruppe 1	Kun/Qian	12 Die Stockung
Samstag, 30. Oktober 2021	48	Metall	7//7, 489	D1+ / D3-	Gruppe 2	Kun/Kan	8 Die Verbundenheit
Sonntag, 31. Oktober 2021	49	Holz	8//1, 689	D2+	Gruppe 4	Gen/Zhen	51 Der Donner
Montag, 1. November 2021	50	Holz	6//8, 123	D3+ / D4-	Gruppe 3	Li/Zhen	22 Die Anmut
Dienstag, 2. November 2021	51	Wasser	7//9, 468	I3+	Gruppe 4	Li/Kan	63 Nach der Vollendung
Mittwoch, 3. November 2021	52	Wasser	1//4, 489	I1+ / I4-	Gruppe 1	Kun/Dui	19 Die Annäherung
Donnerstag, 4. November 2021	53	Erde	4//1, 469	D4-	Gruppe 1	Xun/Dui	58 Der See
Freitag, 5. November 2021	54	Erde	2//8, 127	D1- / D2+	Gruppe 2	Dui/Qian	9 Das Ansammeln im Kleinen
Samstag, 6. November 2021	55	Feuer	3//4, 237	I2- / I3+	Gruppe 4	Xun/Li	50 Der Tiegel

Jahr 2021	Binom	OHS	EZ	Na Yin		Stern				
3.2.2021, 15:59 Uhr	38	8 Metall	Büffel	Erde		6				
10. Monat	Binom	OHS	EZ	Na Yin	Atemzug	Stern				
7.11.2021, 06:00 Uhr	36	6 Erde	Schwein	Holz	22.11.2021 03:34	5				
Tage									Sonne +	Mond-
Datum	Binom	OHS	EZ	Na Yin	Störung	Stern	12 Regenten	Wertigkeit	Mond	haus
Sonntag, 7. November 2021	56	6 Erde	Schaf	Feuer	OJ	2	9 Erfolg	günstig	Halle +	18 Plejaden -
Montag, 8. November 2021	57	7 Metall	Affe	Holz	SM	1	10 Annehmen	sehr ungünstig	Dissonanz -	19 Netz +
Dienstag, 9. November 2021	58	8 Metall	Hahn	Holz	SM	9	11 Öffnen	günstig	Phönix -	20 Schnabel -
Mittwoch, 10. November 2021	59	9 Wasser	Hund	Wasser	SM	8	12 Abschluss	ungünstig	Schrank +	21 Orion ~
Donnerstag, 11. November 2021	60	10 Wasser	Schwein	Wasser		7	1 Beginn	ungünstig	Licht +	22 Brunnen ~
Freitag, 12. November 2021	1	1 Holz	Ratte	Metall		6	2 Entfernen	günstig	Tiger -	23 Geist ~
Samstag, 13. November 2021	2	2 Holz	Büffel	Metall		5	3 Fülle	ungünstig	Jadehalle +	24 Weide -
Sonntag, 14. November 2021	3	3 Feuer	Tiger	Feuer	SJ	4	4 Ausgleich	ungünstig	Gefängnis -	25 Stern ~
Montag, 15. November 2021	4	4 Feuer	Hase	Feuer	SJ	3	5 Beständig	günstig	Schildkröte -	26 Bogen +
Dienstag, 16. November 2021	5	5 Erde	Drache	Holz	SJ	2	6 Einleiten	sehr ungünstig	Chef +	27 Flügel -
Mittwoch, 17. November 2021	6	6 Erde	Schlange	Holz	OM	1	7 Auflösung	ungünstig	Haken -	28 Kutsche ~
Donnerstag, 18. November 2021	7	7 Metall	Pferd	Erde		9	8 Risiko	günstig	Drache +	1 Horn ~
Freitag, 19. November 2021	8	8 Metall	Schaf	Erde	OJ/MF	8	9 Erfolg	günstig	Halle +	2 Hals -
Samstag, 20. November 2021	9	9 Wasser	Affe	Metall	SM	7	10 Annehmen	genügend	Dissonanz -	3 Fundament ~
Sonntag, 21. November 2021	10	10 Wasser	Hahn	Metall	SM	6	11 Öffnen	günstig	Phönix -	4 Haus ~
Montag, 22. November 2021	11	1 Holz	Hund	Feuer	SM	5	12 Abschluss	sehr günstig	Schrank +	5 Herz ~
Dienstag, 23. November 2021	12	2 Holz	Schwein	Feuer		4	1 Beginn	genügend	Licht +	6 Schwanz +
Mittwoch, 24. November 2021	13	3 Feuer	Ratte	Wasser		3	2 Entfernen	ungünstig	Tiger -	7 Korb ~
Donnerstag, 25. November 2021	14	4 Feuer	Büffel	Wasser		2	3 Fülle	sehr ungünstig	Jadehalle +	8 Schaufel ~
Freitag, 26. November 2021	15	5 Erde	Tiger	Erde	SJ	1	4 Ausgleich	ungünstig	Gefängnis -	9 Hirte -
Samstag, 27. November 2021	16	6 Erde	Hase	Erde	SJ	9	5 Beständig	sehr günstig	Schildkröte -	10 Mädchen ~
Sonntag, 28. November 2021	17	7 Metall	Drache	Metall	SJ	8	6 Einleiten	ungünstig	Chef +	11 Leere -
Montag, 29. November 2021	18	8 Metall	Schlange	Metall	OM	7	7 Auflösung	ungünstig	Haken -	12 Gefahr ~
Dienstag, 30. November 2021	19	9 Wasser	Pferd	Holz		6	8 Risiko	günstig	Drache +	13 Raum +
Mittwoch, 1. Dezember 2021	20	10 Wasser	Schaf	Holz	OJ	5	9 Erfolg	sehr günstig	Halle +	14 Mauer ~
Donnerstag, 2. Dezember 2021	21	1 Holz	Affe	Wasser	SM	4	10 Annehmen	sehr günstig	Dissonanz -	15 Rittlings ~
Freitag, 3. Dezember 2021	22	2 Holz	Hahn	Wasser	SM	3	11 Öffnen	sehr günstig	Phönix -	16 Hügel +
Samstag, 4. Dezember 2021	23	3 Feuer	Hund	Erde	SM	2	12 Abschluss	sehr ungünstig	Schrank +	17 Magen ~
Sonntag, 5. Dezember 2021	24	4 Feuer	Schwein	Erde		1	1 Beginn	ungünstig	Licht +	18 Plejaden -

Jahr 2021	Binom	Na Yin	XKDG	Familie	Gruppe	7 Sterne Raub	64 Hexagramme
3.2.2021, 15:59 Uhr	38	Erde	1//3, 468	I1+ / I3-	Gruppe 3	Kun/Li	36 Die Verfinsterung des Lichts
10. Monat	**Binom**	**Na Yin**	**XKDG**	**Familie**	**Gruppe**	**7 Sterne Raub**	**64 Hexagramme**
7.11.2021, 06:00 Uhr	36	Holz	2//2, 137	I1- / I2+	Gruppe 2	Kun/Dui	20 Die Betrachtung
Tage							
Datum	**Binom**	**Na Yin**	**XKDG**	**Familie**	**Gruppe**	**7 Sterne Raub**	**64 Hexagramme**
Sonntag, 7. November 2021	56	Feuer	1//2, 689	I1+ / I2-	Gruppe 3	Kun/Xun	46 Das Empordringen
Montag, 8. November 2021	57	Holz	7//1, 468 6//2, 237	D3+ I3+ / I4-	Gruppe 4 Gruppe 3	Kan Kan/Zhen	29 Das Wasser 4 Die Unerfahrenheit
Dienstag, 9. November 2021	58	Holz	8//3, 469	I2- / I4+	Gruppe 2	Gen	62 Des Kleinen Übergewicht
Mittwoch, 10. November 2021	59	Wasser	4//4, 469	I1- / I4+	Gruppe 1	Kun/Xun	45 Die Sammlung
Donnerstag, 11. November 2021	60	Wasser	6//6, 137	D1+ / D4-	Gruppe 1	Kun/Zhen	23 Die Zersplitterung
Freitag, 12. November 2021	1	Metall	1//1, 489 1//8, 489	D1- D1+ / D2-	Gruppe 1 Gruppe 3	Kun Kun/Zhen	2 Die Erde 24 Die Wiederkehr
Samstag, 13. November 2021	2	Metall	3//6, 127	D2- / D3+	Gruppe 4	Li/Zhen	21 Das Durchbeissen
Sonntag, 14. November 2021	3	Feuer	2//4, 127	I2+ / I3-	Gruppe 4	Li/Dui	37 Die Familie
Montag, 15. November 2021	4	Feuer	6//9, 123	I4+	Gruppe 1	Dui/Zhen	41 Die Minderung
Dienstag, 16. November 2021	5	Holz	9//6, 123	D1- / D4+	Gruppe 1	Dui/Qian	10 Das Auftreten
Mittwoch, 17. November 2021	6	Holz	8//2, 489	I1+ / I2-	Gruppe 2	Gen/Qian	34 Die Kraft des Grossen
Donnerstag, 18. November 2021	7	Erde	8//9, 689	I2+	Gruppe 4	Xun/Gen	32 Die Dauer
Freitag, 19. November 2021	8	Erde	9//3, 237	I1- / I3+	Gruppe 3	Kan/Qian	6 Der Streit
Samstag, 20. November 2021	9	Metall	1//7, 468	D1+ / D3-	Gruppe 3	Kun/Kan	7 Das Heer
Sonntag, 21. November 2021	10	Metall	2//7, 123	D2+ / D4-	Gruppe 2	Dui/Gen	53 Die Entwicklung
Montag, 22. November 2021	11	Feuer	7//2, 469	I3- / I4+	Gruppe 2	Gen/Kan	39 Das Hemmnis
Dienstag, 23. November 2021	12	Feuer	3//3, 137	I1- / I3+	Gruppe 2	Kun/Li	35 Der Fortschritt
Mittwoch, 24. November 2021	13	Wasser	6//3, 127	I2+ / I4-	Gruppe 3	Zhen	27 Die Ernährung
Donnerstag, 25. November 2021	14	Wasser	4//7, 689	D2- / D4+	Gruppe 3	Xun/Zhen	17 Das Nachfolgen
Freitag, 26. November 2021	15	Erde	8//6, 468	D2- / D3+	Gruppe 4	Li/Gen	55 Die Fülle
Samstag, 27. November 2021	16	Erde	7//8, 468	D3- / D4+	Gruppe 2	Dui/Kan	60 Die massvolle Einteilung
Sonntag, 28. November 2021	17	Metall	1//9, 489	I1-	Gruppe 1	Kun/Qian	11 Der Friede
Montag, 29. November 2021	18	Metall	3//7, 137	D1- / D3+	Gruppe 2	Li/Qian	14 Grosser Besitz
Dienstag, 30. November 2021	19	Holz	2//1, 127	D2-	Gruppe 4	Xun/Dui	57 Der Wind
Mittwoch, 1. Dezember 2021	20	Holz	4//8, 469	D3- / D4+	Gruppe 3	Xun/Kan	47 Die Bedrängnis
Donnerstag, 2. Dezember 2021	21	Wasser	3//9, 237	I3-	Gruppe 4	Li/Kan	64 Vor der Vollendung
Freitag, 3. Dezember 2021	22	Wasser	9//4, 137	I1- / I4+	Gruppe 1	Gen/Qian	33 Der Rückzug
Samstag, 4. Dezember 2021	23	Erde	6//1, 123	D4+	Gruppe 1	Gen/Zhen	52 Der Berg
Sonntag, 5. Dezember 2021	24	Erde	8//8, 689	D1+ / D2-	Gruppe 2	Kun/Gen	16 Die Begeisterung

Jahr 2021	Binom	OHS	EZ	Na Yin		Stern				
3.2.2021, 15:59 Uhr	38	8 Metall	Büffel	Erde		6				
11. Monat	**Binom**	**OHS**	**EZ**	**Na Yin**	**Atemzug**	**Stern**				
6.12.2021, 22:58 Uhr	37	7 Metall	Ratte	Erde	21.12.2021 16:59	4				

Tage									Sonne +	Mond-
Datum	Binom	OHS	EZ	Na Yin	Störung	Stern	12 Regenten	Wertigkeit	Mond	haus
Montag, 6. Dezember 2021	25	5 Erde	Ratte	Feuer		9	1 Beginn	ungünstig	Schrank +	19 Netz +
Dienstag, 7. Dezember 2021	26	6 Erde	Büffel	Feuer		8	2 Entfernen	günstig	Licht +	20 Schnabel -
Mittwoch, 8. Dezember 2021	27	7 Metall	Tiger	Holz	SJ	7	3 Fülle	günstig	Tiger -	21 Orion ~
Donnerstag, 9. Dezember 2021	28	8 Metall	Hase	Holz	SJ	6	4 Ausgleich	ungünstig	Jadehalle +	22 Brunnen ~
Freitag, 10. Dezember 2021	29	9 Wasser	Drache	Wasser	SJ	5	5 Beständig	günstig	Gefängnis -	23 Geist ~
Samstag, 11. Dezember 2021	30	10 Wasser	Schlange	Wasser	SM	4	6 Einleiten	sehr günstig	Schildkröte -	24 Weide -
Sonntag, 12. Dezember 2021	31	1 Holz	Pferd	Metall	OM/SM	3	7 Auflösung	ungünstig	Chef +	25 Stern ~
Montag, 13. Dezember 2021	32	2 Holz	Schaf	Metall	OJ/SM	2	8 Risiko	sehr ungünstig	Haken -	26 Bogen +
Dienstag, 14. Dezember 2021	33	3 Feuer	Affe	Feuer	WL	1	9 Erfolg	ungünstig	Drache +	27 Flügel -
Mittwoch, 15. Dezember 2021	34	4 Feuer	Hahn	Feuer		9	10 Annehmen	ungünstig	Halle +	28 Kutsche ~
Donnerstag, 16. Dezember 2021	35	5 Erde	Hund	Holz	WL	8	11 Öffnen	ungünstig	Dissonanz -	1 Horn ~
Freitag, 17. Dezember 2021	36	6 Erde	Schwein	Holz		7	12 Abschluss	sehr günstig	Phönix -	2 Hals -
Samstag, 18. Dezember 2021	37	7 Metall	Ratte	Erde	FM	6	1 Beginn	ungünstig	Schrank +	3 Fundament ~
Sonntag, 19. Dezember 2021	38	8 Metall	Büffel	Erde	FJ	5	2 Entfernen	günstig	Licht +	4 Haus ~
Montag, 20. Dezember 2021	39	9 Wasser	Tiger	Metall	SJ/SL	4	3 Fülle	sehr günstig	Tiger -	5 Herz ~
Dienstag, 21. Dezember 2021	40	10 Wasser	Hase	Metall	SJ	3//7	4 Ausgleich	ungünstig	Jadehalle +	6 Schwanz +
Mittwoch, 22. Dezember 2021	41	1 Holz	Drache	Feuer	SJ	8	5 Beständig	ungünstig	Gefängnis -	7 Korb ~
Donnerstag, 23. Dezember 2021	42	2 Holz	Schlange	Feuer	SM	9	6 Einleiten	sehr günstig	Schildkröte -	8 Schaufel ~
Freitag, 24. Dezember 2021	43	3 Feuer	Pferd	Wasser	OM/SM	1	7 Auflösung	ungünstig	Chef +	9 Hirte -
Samstag, 25. Dezember 2021	44	4 Feuer	Schaf	Wasser	OJ/SM	2	8 Risiko	sehr günstig	Haken -	10 Mädchen ~
Sonntag, 26. Dezember 2021	45	5 Erde	Affe	Erde		3	9 Erfolg	sehr günstig	Drache +	11 Leere -
Montag, 27. Dezember 2021	46	6 Erde	Hahn	Erde		4	10 Annehmen	ungünstig	Halle +	12 Gefahr ~
Dienstag, 28. Dezember 2021	47	7 Metall	Hund	Metall		5	11 Öffnen	ungünstig	Dissonanz -	13 Raum +
Mittwoch, 29. Dezember 2021	48	8 Metall	Schwein	Metall		6	12 Abschluss	sehr ungünstig	Phönix -	14 Mauer ~
Donnerstag, 30. Dezember 2021	49	9 Wasser	Ratte	Holz		7	1 Beginn	ungünstig	Schrank +	15 Rittlings ~
Freitag, 31. Dezember 2021	50	10 Wasser	Büffel	Holz		8	2 Entfernen	günstig	Licht +	16 Hügel +
Samstag, 1. Januar 2022	51	1 Holz	Tiger	Wasser	SJ	9	3 Fülle	genügend	Tiger -	17 Magen ~
Sonntag, 2. Januar 2022	52	2 Holz	Hase	Wasser	SJ	1	4 Ausgleich	günstig	Jadehalle +	18 Plejaden -
Montag, 3. Januar 2022	53	3 Feuer	Drache	Erde	SJ	2	5 Beständig	ungünstig	Gefängnis -	19 Netz +
Dienstag, 4. Januar 2022	54	4 Feuer	Schlange	Erde	SM	3	6 Einleiten	sehr ungünstig	Schildkröte -	20 Schnabel -

Jahr 2021	Binom	Na Yin	XKDG	Familie	Gruppe	7 Sterne Raub	64 Hexagramme
3.2.2021, 15:59 Uhr	38	Erde	1//3, 468	I1+ / I3-	Gruppe 3	Kun/Li	36 Die Verfinsterung des Lichts
11. Monat	**Binom**	**Na Yin**	**XKDG**	**Familie**	**Gruppe**	**7 Sterne Raub**	**64 Hexagramme**
6.12.2021, 22:58 Uhr	37	Erde	2//9, 127	I2-	Gruppe 4	Dui/Zhen	42 Die Mehrung
Tage							
Datum	**Binom**	**Na Yin**	**XKDG**	**Familie**	**Gruppe**	**7 Sterne Raub**	**64 Hexagramme**
Montag, 6. Dezember 2021	25	Feuer	7//4, 468	I2+ / I3-	Gruppe 4	Kan/Zhen	3 Die Anfangsschwierigkeit
Dienstag, 7. Dezember 2021	26	Feuer	9//2, 127	I1- / I2+	Gruppe 3	Zhen/Qian	25 Die Unschuld
Mittwoch, 8. Dezember 2021	**27**	**Holz**	**3//1, 237** 4//2, 468	**D3-** I3- / I4+	**Gruppe 4** Gruppe 3	**Li** Xun/Li	**30 Das Feuer** 49 Die Umwälzung
Donnerstag, 9. Dezember 2021	**28**	**Holz**	2//3, 123	I2+ / I4-	Gruppe 2	Dui	61 Die innere Wahrheit
Freitag, 10. Dezember 2021	**29**	**Wasser**	6//4, 123	I1+ / I4-	Gruppe 1	Zhen/Qian	26 Das Ansammeln im Grossen
Samstag, 11. Dezember 2021	**30**	**Wasser**	4//6, 489	D1- / D4+	Gruppe 1	Xun/Qian	43 Der Durchbruch
Sonntag, 12. Dezember 2021	**31**	**Metall**	**9//1, 137** 9//8, 137	**D1+** D1- / D2+	**Gruppe 1** Gruppe 3	**Qian** Xun/Qian	**1 Der Himmel** 44 Das Entgegenkommen
Montag, 13. Dezember 2021	**32**	**Metall**	7//6, 689	D2+ / D3-	Gruppe 4	Xun/Kan	48 Der Brunnen
Dienstag, 14. Dezember 2021	**33**	**Feuer**	8//4, 689	I2- / I3+	Gruppe 4	Gen/Kan	40 Die Befreiung
Mittwoch, 15. Dezember 2021	34	Feuer	4//9, 469	I4-	Gruppe 1	Xun/Gen	31 Die Einwirkung
Donnerstag, 16. Dezember 2021	**35**	**Holz**	1//6, 469	D1+ / D4-	Gruppe 1	Kun/Gen	15 Die Bescheidenheit
Freitag, 17. Dezember 2021	36	Holz	2//2, 137	I1- / I2+	Gruppe 2	Kun/Dui	20 Die Betrachtung
Samstag, 18. Dezember 2021	**37**	**Erde**	2//9, 127	**I2-**	Gruppe 4	Dui/Zhen	42 Die Mehrung
Sonntag, 19. Dezember 2021	**38**	**Erde**	1//3, 468	I1+ / I3-	Gruppe 3	Kun/Li	36 Die Verfinsterung des Lichts
Montag, 20. Dezember 2021	**39**	**Metall**	9//7, 237	D1- / D3+	Gruppe 3	Li/Qian	13 Die Gemeinschaft
Dienstag, 21. Dezember 2021	**40**	**Metall**	8//7, 469	D2- / D4+	Gruppe 2	Dui/Gen	54 Das heiratende Mädchen
Mittwoch, 22. Dezember 2021	**41**	**Feuer**	3//2, 123	I3+ / I4-	Gruppe 2	Li/Dui	38 Der Gegensatz
Donnerstag, 23. Dezember 2021	**42**	**Feuer**	7//3, 489	I1+ / I3-	Gruppe 2	Kan/Qian	5 Das Warten
Freitag, 24. Dezember 2021	**43**	**Wasser**	4//3, 689	I2- / I4+	Gruppe 3	Xun	28 Des Grossen Übergewicht
Samstag, 25. Dezember 2021	**44**	**Wasser**	6//7, 127	D2+ / D4-	Gruppe 3	Xun/Zhen	18 Die Arbeit am Verdorbenen
Sonntag, 26. Dezember 2021	45	Erde	2//6, 237	D2+ / D3-	Gruppe 4	Dui/Kan	59 Die Auflösung
Montag, 27. Dezember 2021	46	Erde	3//8, 237	D3+ / D4-	Gruppe 2	Li/Gen	56 Der Wanderer
Dienstag, 28. Dezember 2021	47	Metall	9//9, 137	**I1+**	Gruppe 1	Kun/Qian	12 Die Stockung
Mittwoch, 29. Dezember 2021	48	Metall	7//7, 489	D1+ / D3-	Gruppe 2	Kun/Kan	8 Die Verbundenheit
Donnerstag, 30. Dezember 2021	49	Holz	8//1, 689	**D2+**	Gruppe 4	Gen/Zhen	51 Der Donner
Freitag, 31. Dezember 2021	50	Holz	6//8, 123	D3+ / D4-	Gruppe 3	Li/Zhen	22 Die Anmut
Samstag, 1. Januar 2022	**51**	**Wasser**	7//9, 468	**I3+**	Gruppe 4	Li/Kan	63 Nach der Vollendung
Sonntag, 2. Januar 2022	**52**	**Wasser**	1//4, 489	I1+ / I4-	Gruppe 1	Kun/Dui	19 Die Annäherung
Montag, 3. Januar 2022	**53**	**Erde**	4//1, 469	**D4-**	Gruppe 1	Xun/Dui	58 Der See
Dienstag, 4. Januar 2022	**54**	**Erde**	2//8, 127	D1- / D2+	Gruppe 2	Dui/Qian	9 Das Ansammeln im Kleinen

Jahr 2021	Binom	OHS	EZ	Na Yin		Stern				
3.2.2021, 15:59 Uhr	38	8 Metall	Büffel	Erde		6				
12. Monat	Binom	OHS	EZ	Na Yin	Atemzug	Stern				
5.1.2022, 10:14 Uhr	38	8 Metall	Büffel	Erde	20.01.2022 03:40	3				
Tage									Sonne +	Mond-
Datum	Binom	OHS	EZ	Na Yin	Störung	Stern	12 Regenten	Wertigkeit	Mond	haus
Mittwoch, 5. Januar 2022	55	5 Erde	Pferd	Feuer		4	6 Einleiten	günstig	Gefängnis -	21 Orion ~
Donnerstag, 6. Januar 2022	**56**	**6 Erde**	**Schaf**	Feuer	OJ/OM	5	7 Auflösung	ungünstig	Schildkröte -	22 Brunnen ~
Freitag, 7. Januar 2022	57	7 Metall	Affe	Holz		6	8 Risiko	genügend	Chef +	23 Geist ~
Samstag, 8. Januar 2022	58	8 Metall	Hahn	Holz		7	9 Erfolg	günstig	Haken -	24 Weide -
Sonntag, 9. Januar 2022	59	9 Wasser	Hund	Wasser		8	10 Annehmen	ungünstig	Drache +	25 Stern -
Montag, 10. Januar 2022	60	10 Wasser	Schwein	Wasser		9	11 Öffnen	sehr ungünstig	Halle +	26 Bogen +
Dienstag, 11. Januar 2022	1	1 Holz	Ratte	Metall		1	12 Abschluss	genügend	Dissonanz -	27 Flügel -
Mittwoch, 12. Januar 2022	2	2 Holz	Büffel	Metall		2	1 Beginn	sehr günstig	Phönix -	28 Kutsche ~
Donnerstag, 13. Januar 2022	**3**	**3 Feuer**	**Tiger**	Feuer	SJ/SM	3	2 Entfernen	sehr günstig	Schrank +	1 Horn ~
Freitag, 14. Januar 2022	**4**	**4 Feuer**	**Hase**	Feuer	SJ/SM	4	3 Fülle	ungünstig	Licht +	2 Hals -
Samstag, 15. Januar 2022	**5**	**5 Erde**	**Drache**	Holz	SJ/SM	5	4 Ausgleich	ungünstig	Tiger -	3 Fundament ~
Sonntag, 16. Januar 2022	6	6 Erde	Schlange	Holz		6	5 Beständig	ungünstig	Jadehalle +	4 Haus ~
Montag, 17. Januar 2022	7	7 Metall	Pferd	Erde		7	6 Einleiten	sehr günstig	Gefängnis -	5 Herz ~
Dienstag, 18. Januar 2022	**8**	**8 Metall**	**Schaf**	Erde	OJ/OM	8	7 Auflösung	ungünstig	Schildkröte -	6 Schwanz +
Mittwoch, 19. Januar 2022	9	9 Wasser	Affe	Metall		9	8 Risiko	genügend	Chef +	7 Korb ~
Donnerstag, 20. Januar 2022	10	10 Wasser	Hahn	Metall		1	9 Erfolg	sehr günstig	Haken -	8 Schaufel ~
Freitag, 21. Januar 2022	11	1 Holz	Hund	Feuer		2	10 Annehmen	günstig	Drache +	9 Hirte -
Samstag, 22. Januar 2022	12	2 Holz	Schwein	Feuer		3	11 Öffnen	sehr günstig	Halle +	10 Mädchen ~
Sonntag, 23. Januar 2022	13	3 Feuer	Ratte	Wasser		4	12 Abschluss	ungünstig	Dissonanz -	11 Leere -
Montag, 24. Januar 2022	14	4 Feuer	Büffel	Wasser		5	1 Beginn	sehr ungünstig	Phönix -	12 Gefahr ~
Dienstag, 25. Januar 2022	**15**	**5 Erde**	**Tiger**	Erde	SJ(SM	6	2 Entfernen	günstig	Schrank +	13 Raum +
Mittwoch, 26. Januar 2022	**16**	**6 Erde**	**Hase**	Erde	SJ/SM	7	3 Fülle	ungünstig	Licht +	14 Mauer ~
Donnerstag, 27. Januar 2022	**17**	**7 Metall**	**Drache**	Metall	SJ/SM	8	4 Ausgleich	sehr günstig	Tiger -	15 Rittlings ~
Freitag, 28. Januar 2022	18	8 Metall	Schlange	Metall		9	5 Beständig	ungünstig	Jadehalle +	16 Hügel +
Samstag, 29. Januar 2022	19	9 Wasser	Pferd	Holz		1	6 Einleiten	sehr günstig	Gefängnis -	17 Magen -
Sonntag, 30. Januar 2022	**20**	**10 Wasser**	**Schaf**	Holz	OJ/OM	2	7 Auflösung	sehr günstig	Schildkröte -	18 Plejaden -
Montag, 31. Januar 2022	21	1 Holz	Affe	Wasser		3	8 Risiko	genügend	Chef +	19 Netz +
Dienstag, 1. Februar 2022	22	2 Holz	Hahn	Wasser		4	9 Erfolg	sehr günstig	Haken -	20 Schnabel -
Mittwoch, 2. Februar 2022	**23**	**3 Feuer**	**Hund**	Erde	EL	5	10 Annehmen	ungünstig	Drache +	21 Orion ~

Jahr 2021	Binom	Na Yin	XKDG	Familie	Gruppe	7 Sterne Raub	64 Hexagramme
3.2.2021, 15:59 Uhr	38	Erde	1//3, 468	I1+ / I3-	Gruppe 3	Kun/Li	36 Die Verfinsterung des Lichts
12. Monat	**Binom**	**Na Yin**	**XKDG**	**Familie**	**Gruppe**	**7 Sterne Raub**	**64 Hexagramme**
5.1.2022, 10:14 Uhr	38	Erde	1//3, 468	I1+ / I3-	Gruppe 3	Kun/Li	36 Die Verfinsterung des Lichts
Tage							
Datum	**Binom**	**Na Yin**	**XKDG**	**Familie**	**Gruppe**	**7 Sterne Raub**	**64 Hexagramme**
Mittwoch, 5. Januar 2022	55	Feuer	3//4, 237	I2- / I3+	Gruppe 4	Xun/Li	50 Der Tiegel
Donnerstag, 6. Januar 2022	**56**	Feuer	1//2, 689	I1+ / I2-	Gruppe 3	Kun/Xun	46 Das Empordringen
Freitag, 7. Januar 2022	57	Holz	**7//1, 468** / 6//2, 237	**D3+** / I3+ / I4-	**Gruppe 4** / Gruppe 3	**Kan** / Kan/Zhen	**29 Das Wasser** / 4 Die Unerfahrenheit
Samstag, 8. Januar 2022	58	Holz	8//3, 469	I2- / I4+	Gruppe 2	Gen	62 Des Kleinen Übergewicht
Sonntag, 9. Januar 2022	59	Wasser	4//4, 469	I1- / I4+	Gruppe 1	Kun/Xun	45 Die Sammlung
Montag, 10. Januar 2022	60	Wasser	6//6, 137	D1+ / D4-	Gruppe 1	Kun/Zhen	23 Die Zersplitterung
Dienstag, 11. Januar 2022	1	Metall	**1//1, 489** / 1//8, 489	**D1-** / D1+ / D2-	**Gruppe 1** / Gruppe 3	**Kun** / Kun/Zhen	**2 Die Erde** / 24 Die Wiederkehr
Mittwoch, 12. Januar 2022	2	Metall	3//6, 127	D2- / D3+	Gruppe 4	Li/Zhen	21 Das Durchbeissen
Donnerstag, 13. Januar 2022	**3**	Feuer	2//4, 127	I2+ / I3-	Gruppe 4	Li/Dui	37 Die Familie
Freitag, 14. Januar 2022	**4**	Feuer	6//9, 123	**I4+**	Gruppe 1	Dui/Zhen	41 Die Minderung
Samstag, 15. Januar 2022	**5**	Holz	9//6, 123	D1- / D4+	Gruppe 1	Dui/Qian	10 Das Auftreten
Sonntag, 16. Januar 2022	6	Holz	8//2, 489	I1+ / I2-	Gruppe 2	Gen/Qian	34 Die Kraft des Grossen
Montag, 17. Januar 2022	7	Erde	8//9, 689	**I2+**	Gruppe 4	Xun/Gen	32 Die Dauer
Dienstag, 18. Januar 2022	**8**	Erde	9//3, 237	I1- / I3+	Gruppe 3	Kan/Qian	6 Der Streit
Mittwoch, 19. Januar 2022	9	Metall	1//7, 468	D1+ / D3-	Gruppe 3	Kun/Kan	7 Das Heer
Donnerstag, 20. Januar 2022	10	Metall	2//7, 123	D2+ / D4-	Gruppe 2	Dui/Gen	53 Die Entwicklung
Freitag, 21. Januar 2022	11	Feuer	7//2, 469	I3- / I4+	Gruppe 2	Gen/Kan	39 Das Hemmnis
Samstag, 22. Januar 2022	12	Feuer	3//3, 137	I1- / I3+	Gruppe 2	Kun/Li	35 Der Fortschritt
Sonntag, 23. Januar 2022	13	Wasser	6//3, 127	I2+ / I4-	Gruppe 3	Zhen	27 Die Ernährung
Montag, 24. Januar 2022	14	Wasser	4//7, 689	D2- / D4+	Gruppe 3	Xun/Zhen	17 Das Nachfolgen
Dienstag, 25. Januar 2022	**15**	Erde	8//6, 468	D2- / D3+	Gruppe 4	Li/Gen	55 Die Fülle
Mittwoch, 26. Januar 2022	**16**	Erde	7//8, 468	D3- / D4+	Gruppe 2	Dui/Kan	60 Die massvolle Einteilung
Donnerstag, 27. Januar 2022	**17**	Metall	1//9, 489	**I1-**	Gruppe 1	Kun/Qian	11 Der Friede
Freitag, 28. Januar 2022	18	Metall	3//7, 137	D1- / D3+	Gruppe 2	Li/Qian	14 Grosser Besitz
Samstag, 29. Januar 2022	19	Holz	2//1, 127	**D2-**	Gruppe 4	Xun/Dui	57 Der Wind
Sonntag, 30. Januar 2022	**20**	Holz	4//8, 469	D3- / D4+	Gruppe 3	Xun/Kan	47 Die Bedrängnis
Montag, 31. Januar 2022	21	Wasser	3//9, 237	**I3-**	Gruppe 4	Li/Kan	64 Vor der Vollendung
Dienstag, 1. Februar 2022	22	Wasser	9//4, 137	I1- / I4+	Gruppe 1	Gen/Qian	33 Der Rückzug
Mittwoch, 2. Februar 2022	**23**	Erde	6//1, 123	**D4+**	Gruppe 1	Gen/Zhen	52 Der Berg

Die Wertigkeit der Stunde für klassisches Ze Ri

Binom des Tages	1 Ra	2 Bü	3 Ti	4 Hs	5 Dr	6 Sl	7 Pf	8 Sf	9 Af	10 Hh	11 Hu	12 Sw
Ratte 00:00 - 00:59	** M	* W	** F	0 E	X H	* M	XX W	XX F	** E	* H	XX M	0 W
Büffel 01:00 - 02:59	** M	* W	** F	XX E	* H	* M	* W	XX F	** E	0 H	X M	** W
Tiger 03:00 - 04:59	* F	** E	0 H	0 M	* W	X F	0 E	** H	XX M	** W	** F	0 E
Hase 05:00 - 06:59	0 F	** E	0 H	0 M	X W	XX F	** E	** H	X M	XX W	0 F	* E
Drache 07:00 - 08:59	0 H	0 M	X W	XX F	* E	** H	XX M	XX W	** F	* E	XX H	** M
Schlange 09:00 - 10:59	0 H	* M	X W	0 F	** E	0 H	XX M	* W	* F	* E	** H	XX M
Pferd 11:00 - 12:59	XX E	XX H	0 M	** W	XX F	** E	* H	* M	0 W	** F	X E	0 H
Schaf 13:00 - 14:59	X E	XX H	** M	** W	0 F	** E	0 H	0 M	** W	0 F	X E	* H
Affe 15:00 - 16:59	* M	** W	XX F	XX E	** H	X M	** W	** F	X E	XX H	X M	X W
Hahn 17:00 - 18:59	* M	0 W	0 F	XX E	** H	X M	** W	X F	XX E	0 H	X M	XX W
Hund 19:00 - 20:59	XX F	X E	X H	X M	XX W	X F	X E	X H	X M	XX W	0 F	** E
Schwein 21:00 - 22:59	XX F	X E	X H	X M	X W	XX F	XX E	X H	XX M	XX W	** F	* E
Ratte 23:00 - 23:59	** W	* F	** E	* H	X M	0 W	XX F	XX E	* H	** M	XX W	0 F

Zu jeder Stunde sind die Na-Yin-Elemente angegeben. Die schwarz hinterlegten Stunden stehen in Opposition zum Tag und sollten nie verwendet werden. Die grau hinterlegten Stunden sind leer. Sie sollten nur in Ausnahmefällen verwendet werden.

** = Sehr günstig, * = günstig, 0 = genügend, X = ungünstig, XX = sehr ungünstig.

Binom des Tages	13 Ra	14 Bü	15 Ti	16 Hs	17 Dr	18 Sl	19 Pf	20 Sf	21 Af	22 Hh	23 Hu	24 Sw
Ratte 00:00 - 00:59	** F	0 E	0 H	* M	X W	XX F	XX E	X H	** M	** W	* F	XX E
Büffel 01:00 - 02:59	** F	0 E	** H	XX M	0 W	** F	* E	XX H	** M	* W	XX F	** E
Tiger 03:00 - 04:59	0 H	0 M	X W	** F	** E	X H	X M	** W	XX F	** E	** H	X M
Hase 05:00 - 06:59	* H	X M	0 W	** F	XX E	XX H	* M	** W	XX F	XX E	* H	X M
Drache 07:00 - 08:59	X W	XX F	** E	XX H	0 M	0 W	0 F	* E	** H	* M	XX W	** F
Schlange 09:00 - 10:59	X W	** F	0 E	0 H	** M	* W	0 F	** E	* H	X M	* W	XX F
Pferd 11:00 - 12:59	XX M	0 W	0 F	** E	0 H	** M	* W	* F	XX E	X H	X M	X W
Schaf 13:00 - 14:59	XX M	XX W	** F	** E	X H	** M	* W	X F	X E	X H	XX M	X W
Affe 15:00 - 16:59	X F	X E	XX H	XX M	X W	X F	X E	X H	X M	* W	** F	XX E
Hahn 17:00 - 18:59	X F	X E	XX H	XX M	X W	X F	X E	XX H	X M	0 W	* F	* E
Hund 19:00 - 20:59	0 H	0 M	* W	* F	XX E	** H	0 M	0 W	** F	X E	* H	** M
Schwein 21:00 - 22:59	0 H	** M	0 W	X F	** E	XX H	0 M	* W	XX F	* E	** H	* M
Ratte 23:00 - 23:59	** E	* H	0 M	* W	0 F	XX E	XX H	X M	** W	** F	* E	0 H

Binom des Tages	25 Ra	26 Bü	27 Ti	28 Hs	29 Dr	30 Sl	31 Pf	32 Sf	33 Af	34 Hh	35 Hu	36 Sw
Ratte 00:00 - 00:59	* H	* M	0 W	0 F	0 E	X H	XX M	X W	** F	** E	XX H	* M
Büffel 01:00 - 02:59	** H	X M	** W	XX F	0 E	** H	* M	XX W	** F	0 E	0 H	0 M
Tiger 03:00 - 04:59	X W	** F	0 E	** H	* M	XX W	* F	** E	XX H	0 M	* W	* F
Hase 05:00 - 06:59	* W	** F	XX E	** H	X M	* W	** F	** E	0 H	XX M	* W	0 F
Drache 07:00 - 08:59	* E	XX H	** M	XX W	* F	** E	XX H	X M	X W	X F	XX E	X H
Schlange 09:00 - 10:59	0 E	** H	X M	* W	** F	* E	X H	X M	X W	X F	X E	XX H
Pferd 11:00 - 12:59	XX F	XX E	X H	X M	X W	X F	X E	X H	XX M	** W	0 F	** E
Schaf 13:00 - 14:59	XX F	XX E	X H	X M	X W	X F	* E	X H	** M	** W	X F	** E
Affe 15:00 - 16:59	** H	* M	XX W	* F	* E	X H	* M	** W	* F	XX E	** H	X M
Hahn 17:00 - 18:59	** H	X M	0 W	XX F	** E	0 H	* M	XX W	0 F	* E	0 H	XX M
Hund 19:00 - 20:59	XX W	* F	* E	0 H	XX M	* W	0 F	* E	** H	XX M	X W	** F
Schwein 21:00 - 22:59	X W	* F	0 E	0 H	** M	XX W	XX F	** E	X H	* M	* W	X F
Ratte 23:00 - 23:59	* M	* W	** F	0 E	0 H	0 M	XX W	0 F	** E	** H	XX M	0 W

Binom des Tages	37 Ra	38 Bü	39 Ti	40 Hs	41 Dr	42 Sl	43 Pf	44 Sf	45 Af	46 Hh	47 Hu	48 Sw
Ratte 00:00 - 00:59	* W	0 F	** E	0 H	0 M	0 W	XX F	XX E	* H	** M	XX W	XX F
Büffel 01:00 - 02:59	** W	0 F	** E	XX H	0 M	** W	0 F	XX E	** H	X M	X W	** F
Tiger 03:00 - 04:59	0 E	** H	X M	** W	X F	XX E	X H	X M	XX W	X F	X E	X H
Hase 05:00 - 06:59	0 E	** H	X M	** W	XX F	X E	X H	X M	X W	XX F	X E	X H
Drache 07:00 - 08:59	X M	XX W	X F	X E	0 H	** M	XX W	XX F	** E	0 H	XX M	0 W
Schlange 09:00 - 10:59	XX M	X W	X F	X E	** H	X M	X W	** F	* E	0 H	** M	XX W
Pferd 11:00 - 12:59	XX H	X M	* W	** F	XX E	0 H	0 M	* W	XX F	** E	* H	** M
Schaf 13:00 - 14:59	X H	XX M	** W	* F	0 E	0 H	0 M	0 W	** F	** E	X H	** M
Affe 15:00 - 16:59	** W	** F	XX E	XX H	* M	* W	** F	** E	* H	X M	** W	0 F
Hahn 17:00 - 18:59	** W	0 F	XX E	XX H	* M	0 W	** F	* E	XX H	X M	* W	X F
Hund 19:00 - 20:59	X E	0 H	** M	0 W	XX F	** E	* H	0 M	0 W	X F	0 E	** H
Schwein 21:00 - 22:59	XX E	** H	* M	X W	** F	XX E	0 H	** M	X W	X F	** E	0 H
Ratte 23:00 - 23:59	** F	0 E	** H	* M	0 W	0 F	XX E	X H	* M	** W	XX F	XX E

Binom des Tages	49 Ra	50 Bü	51 Ti	52 Hs	53 Dr	54 Sl	55 Pf	56 Sf	57 Af	58 Hh	59 Hu	60 Sw
Ratte 00:00 - 00:59	** E	0 H	X M	X W	X F	XX E	XX H	X M	X W	X F	XX E	XX H
Büffel 01:00 - 02:59	** E	0 H	X M	X W	XX F	X E	X H	XX M	X W	X F	XX E	X H
Tiger 03:00 - 04:59	XX M	X W	* F	** E	** H	XX M	X W	** F	XX E	** H	* M	0 W
Hase 05:00 - 06:59	X M	X W	XX F	** E	X H	XX M	** W	** F	XX E	XX H	0 M	* W
Drache 07:00 - 08:59	* F	* E	** H	X M	X W	** F	0 E	XX H	** M	X W	XX F	** E
Schlange 09:00 - 10:59	0 F	** E	0 H	X M	* W	0 F	0 E	** H	* M	* W	** F	XX E
Pferd 11:00 - 12:59	XX W	X F	X E	0 H	XX M	** W	0 F	* E	0 H	** M	* W	** F
Schaf 13:00 - 14:59	0 W	XX F	** E	* H	XX M	** W	* F	* E	* H	** M	0 W	* F
Affe 15:00 - 16:59	* E	** H	XX M	* W	** F	X E	** H	* M	* W	* F	* E	XX H
Hahn 17:00 - 18:59	** E	0 H	X M	XX W	** F	* E	** H	XX M	0 W	0 F	0 E	XX H
Hund 19:00 - 20:59	XX M	0 W	** F	* E	XX H	** M	X W	* F	* E	XX H	0 M	* W
Schwein 21:00 - 22:59	0 M	* W	0 F	* E	** H	XX M	X W	* F	XX E	0 H	** M	X W
Ratte 23:00 - 23:59	** H	* M	X W	X F	X E	X H	XX M	XX W	X F	X E	X H	X M

Die grosse Referenztabelle des Xuan Kong Da Gua Ze Ri

Binom	OHS	EZ	Na Yin	XKDG	Familie	Gruppe	7 Sterne Raub	64 Hexagramme
1	1 Holz	Ratte	Metall	1//1, 489	D1-	Gruppe 1	Kun	2 Die Erde
1 A	1 Holz	Ratte	Metall	1//8, 489	D1+ / D2-	Gruppe 3	Kun/Zhen	24 Die Wiederkehr
2	2 Holz	Büffel	Metall	3//6, 127	D2- / D3+	Gruppe 4	Li/Zhen	21 Das Durchbeissen
3	3 Feuer	Tiger	Feuer	2//4, 127	I2+ / I3-	Gruppe 4	Li/Dui	37 Die Familie
4	4 Feuer	Hase	Feuer	6//9, 123	I4+	Gruppe 1	Dui/Zhen	41 Die Minderung
5	5 Erde	Drache	Holz	9//6, 123	D1- / D4+	Gruppe 1	Dui/Qian	10 Das Auftreten
6	6 Erde	Schlange	Holz	8//2, 489	I1+ / I2-	Gruppe 2	Gen/Qian	34 Die Kraft des Grossen
7	7 Metall	Pferd	Erde	8//9, 689	I2+	Gruppe 4	Xun/Gen	32 Die Dauer
8	8 Metall	Schaf	Erde	9//3, 237	I1- / I3+	Gruppe 3	Kan/Qian	6 Der Streit
9	9 Wasser	Affe	Metall	1//7, 468	D1+ / D3-	Gruppe 3	Kun/Kan	7 Das Heer
10	10 Wasser	Hahn	Metall	2//7, 123	D2+ / D4-	Gruppe 2	Dui/Gen	53 Die Entwicklung
11	1 Holz	Hund	Feuer	7//2, 469	I3- / I4+	Gruppe 2	Gen/Kan	39 Das Hemmnis
12	2 Holz	Schwein	Feuer	3//3, 137	I1- / I3+	Gruppe 2	Kun/Li	35 Der Fortschritt
13	3 Feuer	Ratte	Wasser	6//3, 127	I2+ / I4-	Gruppe 3	Zhen	27 Die Ernährung
14	4 Feuer	Büffel	Wasser	4//7, 689	D2- / D4+	Gruppe 3	Xun/Zhen	17 Das Nachfolgen
15	5 Erde	Tiger	Erde	8//6, 468	D2- / D3+	Gruppe 4	Li/Gen	55 Die Fülle
16	6 Erde	Hase	Erde	7//8, 468	D3- / D4+	Gruppe 2	Dui/Kan	60 Die massvolle Einteilung
17	7 Metall	Drache	Metall	1//9, 489	I1-	Gruppe 1	Kun/Qian	11 Der Friede
18	8 Metall	Schlange	Metall	3//7, 137	D1- / D3+	Gruppe 2	Li/Qian	14 Grosser Besitz
19	9 Wasser	Pferd	Holz	2//1, 127	D2-	Gruppe 4	Xun/Dui	57 Der Wind
20	10 Wasser	Schaf	Holz	4//8, 469	D3- / D4+	Gruppe 3	Xun/Kan	47 Die Bedrängnis
21	1 Holz	Affe	Wasser	3//9, 237	I3-	Gruppe 4	Li/Kan	64 Vor der Vollendung
22	2 Holz	Hahn	Wasser	9//4, 137	I1- / I4+	Gruppe 1	Gen/Qian	33 Der Rückzug
23	3 Feuer	Hund	Erde	6//1, 123	D4+	Gruppe 1	Gen/Zhen	52 Der Berg
24	4 Feuer	Schwein	Erde	8//8, 689	D1+ / D2-	Gruppe 2	Kun/Gen	16 Die Begeisterung
25	5 Erde	Ratte	Feuer	7//4, 468	I2+ / I3-	Gruppe 4	Kan/Zhen	3 Die Anfangsschwierigkeit
26	6 Erde	Büffel	Feuer	9//2, 127	I1- / I2+	Gruppe 3	Zhen/Qian	25 Die Unschuld
27	7 Metall	Tiger	Holz	3//1, 237	D3-	Gruppe 4	Li	30 Das Feuer
27 A	7 Metall	Tiger	Holz	4//2, 468	I3- / I4+	Gruppe 3	Xun/Li	49 Die Umwälzung
28	8 Metall	Hase	Holz	2//3, 123	I2+ / I4-	Gruppe 2	Dui	61 Die innere Wahrheit
29	9 Wasser	Drache	Wasser	6//4, 123	I1+ / I4-	Gruppe 1	Zhen/Qian	26 Das Ansammeln im Grossen
30	10 Wasser	Schlange	Wasser	4//6, 489	D1- / D4+	Gruppe 1	Xun/Qian	43 Der Durchbruch

Binom	OHS	EZ	Na Yin	XKDG	Familie	Gruppe	7 Sterne Raub	64 Hexagramme
31	1 Holz	Pferd	Metall	9//1, 137	**D1+**	Gruppe 1	Qian	1 Der Himmel
31 A	1 Holz	Pferd	Metall	9//8, 137	D1- / D2+	Gruppe 3	Xun/Qian	44 Das Entgegenkommen
32	2 Holz	Schaf	Metall	7//6, 689	D2+ / D3-	Gruppe 4	Xun/Kan	48 Der Brunnen
33	3 Feuer	Affe	Feuer	8//4, 689	I2- / I3+	Gruppe 4	Gen/Kan	40 Die Befreiung
34	4 Feuer	Hahn	Feuer	4//9, 469	**I4-**	Gruppe 1	Xun/Gen	31 Die Einwirkung
35	5 Erde	Hund	Holz	1//6, 469	D1+ / D4-	Gruppe 1	Kun/Gen	15 Die Bescheidenheit
36	6 Erde	Schwein	Holz	2//2, 137	I1- / I2+	Gruppe 2	Kun/Dui	20 Die Betrachtung
37	7 Metall	Ratte	Erde	2//9, 127	**I2-**	Gruppe 4	Dui/Zhen	42 Die Mehrung
38	8 Metall	Büffel	Erde	1//3, 468	I1+ / I3-	Gruppe 3	Kun/Li	36 Die Verfinsterung des Lichts
39	9 Wasser	Tiger	Metall	9//7, 237	D1- / D3+	Gruppe 3	Li/Qian	13 Die Gemeinschaft
40	10 Wasser	Hase	Metall	8//7, 469	D2- / D4+	Gruppe 2	Dui/Gen	54 Das heiratende Mädchen
41	1 Holz	Drache	Feuer	3//2, 123	I3+ / I4-	Gruppe 2	Li/Dui	38 Der Gegensatz
42	2 Holz	Schlange	Feuer	7//3, 489	I1+ / I3-	Gruppe 2	Kan/Qian	5 Das Warten
43	3 Feuer	Pferd	Wasser	4//3, 689	I2- / I4+	Gruppe 3	Xun	28 Des Grossen Übergewicht
44	4 Feuer	Schaf	Wasser	6//7, 127	D2+ / D4-	Gruppe 3	Xun/Zhen	18 Die Arbeit am Verdorbenen
45	5 Erde	Affe	Erde	2//6, 237	D2+ / D3-	Gruppe 4	Dui/Kan	59 Die Auflösung
46	6 Erde	Hahn	Erde	3//8, 237	D3+ / D4-	Gruppe 2	Li/Gen	56 Der Wanderer
47	7 Metall	Hund	Metall	9//9, 137	**I1+**	Gruppe 1	Kun/Qian	12 Die Stockung
48	8 Metall	Schwein	Metall	7//7, 489	D1+ / D3-	Gruppe 2	Kun/Kan	8 Die Verbundenheit
49	9 Wasser	Ratte	Holz	8//1, 689	**D2+**	Gruppe 4	Gen/Zhen	51 Der Donner
50	10 Wasser	Büffel	Holz	6//8, 123	D3+ / D4-	Gruppe 3	Li/Zhen	22 Die Anmut
51	1 Holz	Tiger	Wasser	7//9, 468	**I3+**	Gruppe 4	Li/Kan	63 Nach der Vollendung
52	2 Holz	Hase	Wasser	1//4, 489	I1+ / I4-	Gruppe 1	Kun/Dui	19 Die Annäherung
53	3 Feuer	Drache	Erde	4//1, 469	**D4-**	Gruppe 1	Xun/Dui	58 Der See
54	4 Feuer	Schlange	Erde	2//8, 127	D1- / D2+	Gruppe 2	Dui/Qian	9 Das Ansammeln im Kleinen
55	5 Erde	Pferd	Feuer	3//4, 237	I2- / I3+	Gruppe 4	Xun/Li	50 Der Tiegel
56	6 Erde	Schaf	Feuer	1//2, 689	I1+ / I2-	Gruppe 3	Kun/Xun	46 Das Empordringen
57	7 Metall	Affe	Holz	7//1, 468	**D3+**	Gruppe 4	Kan	29 Das Wasser
57 A	7 Metall	Affe	Holz	6//2, 237	I3+ / I4-	Gruppe 3	Kan/Zhen	4 Die Unerfahrenheit
58	8 Metall	Hahn	Holz	8//3, 469	I2- / I4+	Gruppe 2	Gen	62 Des Kleinen Übergewicht
59	9 Wasser	Hund	Wasser	4//4, 469	I1- / I4+	Gruppe 1	Kun/Xun	45 Die Sammlung
60	10 Wasser	Schwein	Wasser	6//6, 137	D1+ / D4-	Gruppe 1	Kun/Zhen	23 Die Zersplitterung

NEU!

Feng Shui im morphogenetischen Feld
Pendelheilung für Haus und Mensch
Ein umfassendes Praxisbuch für Pendelheilung und Feng Shui

Weitere Bücher von André Pasteur zum Thema Feng Shui und Geomantie

Die Feng Shui Formschule, BoD 2017

Feng Shui – Das Umfeld als Resonanzkörper der Seele, BoD, 2015

Feng Shui für Fortgeschrittene, Band 1:
San He Feng Shui für Gärten und Neubauten, BoD, 2014

Feng Shui für Fortgeschrittene, Band 2:
Xuan Kong Fei Xing. Die Fliegenden Sterne Teil 1, BoD, 2. Auflage, 2015

Feng Shui für Fortgeschrittene, Band 3:
Xuan Kong Fei Xing. Die Fliegenden Sterne Teil 2, BoD, 2014

Feng Shui für Fortgeschrittene, Band 4:
Xuan Kong Da Gua Teil 1, BoD, 2015

Feng Shui für Fortgeschrittene, Band 5:
Xuan Kong Da Gua Teil 2, BoD, 2015

Feng Shui für Fortgeschrittene, Band 6:
Feng Shui mit Quantencodes, BoD, 2016

Hausreinigungen und Räuchern
Lichtrituale zur Transformation von Haus und Mensch, BoD, 2018